図解 即 戦力

オールカラーの丁寧な解説で
知識ゼロでもわかりやすい！

自動車部品業界の

しくみとビジネスが
しっかりわかる
これ
1冊で
教科書

モビイマ

JN028154

技術評論社

ご注意：ご購入・ご利用の前に必ずお読みください

はじめに

　自動車業界は今、100年に一度のかつてない転換期を迎えています。CASEに代表される技術革新、世界各国の保護主義政策、テスラやBYDに代表される新興メーカーの躍進。この変革は完成車メーカーだけでなく、部品メーカーにも大きな影響を与えています。

　これまで日本自動車業界は完成車、部品メーカーが「ケイレツ」として垂直統合型の関係を維持し、すり合わせ型の開発、改善を進めることで競争力を高め、世界に進出し、大きな成功を納めてきました。ただ変革期にあたり、関係性は徐々に見直され、部品メーカーも特定の完成車メーカーに頼らない経営が求められています。

　本書では自動車部品メーカーに焦点を当て、ビジネスモデル、現状の業界動向、主要な企業紹介に加え、具体的な仕事の内容や関連法規や規格まで図解でわかりやすく解説しました。この1冊で部品メーカーのすべてが理解できる内容になっています。

　部品メーカーの知識だけでなく、自動車業界全体についても将来の展望について最新情報をまとめており、自動車業界研究としても活用が可能です。部品メーカーの就職を考えられる方はもちろん、自動車業界で働く方が全体の理解を深めるため、他業界やコンサルの方が業務の実態を知るため、投資先を検討する資料としても役立つ構成となっています。

　変革期を迎え、部品メーカーは前例にとらわれない多様な戦略を打ち出しています。国内最大手のデンソーは2025年売上高6.7兆円、営業利益率10％の目標を掲げており、これは国内大手自動車メーカーを上回る成長率、営業利益率であり、売上高は国内御三家（トヨタ、日産、ホンダ）に続く規模です。日本の基幹産業、自動車業界を支える部品メーカー。この1冊で業界研究を深め、自身の就活や仕事にご参考いただけたらと思います。

2023年9月

著者を代表して、カッパッパ

CONTENTS

Chapter 3

代表的な自動車部品

COLUMN 3

Chapter 4

自動車部品業界を取り巻く法律／品質規格

Chapter 5

主要な自動車部品メーカー

COLUMN 5

Chapter **6**

自動車部品ができるまで

COLUMN 6

Chapter 7

自動車部品業界の仕事と組織

Chapter 8

自動車部品業界のこれから

第1章

自動車部品業界の
基礎知識

自動車業界は、日本経済の屋台骨を支える基幹産業であり、その中でも自動車部品により、多くのGDP、雇用を生み出しています。本章では、日本自動車業界の概説と自動車部品業界の特徴、現状について解説します。

Chapter1 01

自動車は世界に誇る日本の基幹産業

「MADE IN JAPAN」のもとに、製造業を中心に経済成長を遂げてきた日本。その中でも自動車産業は国際的な競争力を有し、日本経済や国民の雇用を支える屋台骨として大きな役割を担っています。

日本経済を支える自動車産業

　自動車は日本を代表する産業の1つであり、経済のみならず人々の生活を成り立たせるために必要な雇用を多く創出している、製造業の屋台骨といえる存在です。

　日本の自動車産業の国内製造品出荷額は約60兆円（2019年）です。これはGDPの約1割を占め、全製造業の中でも一番多い金額です。また、設備投資費や研究開発費でも全製造業のうちの2割以上を占めており、非常に多くの経済価値を生み出し、日本経済を支えています。

　また日本製の自動車や関連部品は、海外にも多く輸出されており、日本経済を支えています。輸出額では全製品の中で乗用車が1位、自動車部品が3位と、日本の主要な外貨獲得手段の1つとなっています。

　加えて、自動車産業は生産だけでなく、販売／整備／運送など各分野にわたって幅広い関連産業をもつ総合産業といえます。直接的、間接的を問わず、自動車に関連した業務に従事する人は約550万人と全産業の中でも約1割を占めており、多数の雇用を生み出しています。

GDP
Gross Domestic Product、国内総生産。一定期間内に国内で産み出された物やサービスの付加価値の合計のこと

経済波及効果の大きい自動車産業

　自動車を製造するためには、原材料や部品、電力などがさまざまなものが必要となります。そのため自動車産業は自産業だけでなく、他産業への波及効果が大きいという特徴があります。他産業への波及度合いを示す生産波及力では全産業で1位が乗用車となっています。また上位5業種のうち3業種は自動車関連産業が占めています。

生産波及力
新たに需要が発生した際に、その需要を満たすために次々と新たな生産が誘発されていく効果を示す数値のこと

▶ 主要製造業の製品出荷額グラフ（2021年）

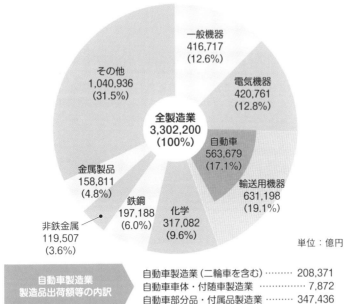

一般機器
416,717
(12.6%)

電気機器
420,761
(12.8%)

その他
1,040,936
(31.5%)

全製造業
3,302,200
(100%)

自動車
563,679
(17.1%)

輸送用機器
631,198
(19.1%)

金属製品
158,811
(4.8%)

鉄鋼
197,188
(6.0%)

化学
317,082
(9.6%)

非鉄金属
119,507
(3.6%)

単位：億円

自動車製造業 製造品出荷額等の内訳	自動車製造業（二輪車を含む）……… 208,371
	自動車車体・付随車製造業 …………… 7,872
	自動車部品・付属品製造業 ……… 347,436

出所：日本自動車工業会「日本の自動車工業2023」を元に作成

▶ 生産波及力

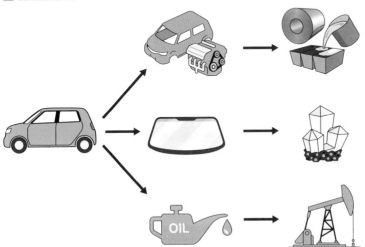

自動車の生産にあたり、多くの部品や原料が使用されるため、他産業への経済波及効果が大きい。
自動車生産を1とすると全体には2.7倍の生産誘発効果がある

Chapter1
02

自動車の市場規模

世界の自動車市場は2010年代前半には右肩上がりで販売を伸ばしていましたが、2017年を境に成長が鈍化し、2020年以降はコロナ禍、また半導体供給不足などの影響によって販売台数が減少しました。また日本国内の自動車市場を見てみると、1990年の777万台をピークとして縮小傾向にあります。

コロナ禍の影響を大きく受けた自動車市場

2010年代前半、中国や新興国を中心とした需要増に伴い自動車の生産／販売は増加しました。しかし、2018年から中国での販売の伸びが止まったこと、新興国でのローン審査の厳格化、景気後退などの要因によって自動車の販売は停滞期を迎えます。

2020年にはコロナによるロックダウン、工場の稼働停止や販売店の営業休止によって、生産、販売ともに、過去に例を見ないほどの落ち込みとなりました。その後、生産は回復しつつあるものの、半導体の供給不足により、2023年現在も市場規模はコロナ禍前の2019年の実績には至っていません。バックオーダー解消および在庫積み上げのために自動車メーカーは増産を計画していますが、半導体供給不足の影響は継続しており、自動車の生産の本格的な回復は2024年以降となる見込みです。

世界各国の市場規模

2022年の自動車販売台数は中国の2,686万台を筆頭に、アメリカの1,423万台が続いており、この2つの国が世界の2大主要市場となっています。その他の地域ではヨーロッパ全体で1,128万台、インドが440万台と続いています。

日本国内の自動車販売台数は縮小傾向にあります。縮小の要因は、①自動車の普及率が高い、②品質が高く壊れにくいため平均保有年数が長く、買い替えが進まない、③税制や燃料代が他国に比べて高い、④人口減少に伴う世帯数の減少などが挙げられます。販売台数は1990年の777万台をピークに減少しており、2022年の販売台数は420万台です。今後も450万台程度と横ばいもしくは漸減となることが見込まれます。

バックオーダー
受注残のこと。需要が生産を超えた際に発生する。2021年以降、グローバルでバックオーダーは増加し、納車までの期間が長期化、人気車種では受注停止になるほど蓄積している

▶ 主要国の自動車生産台数の推移

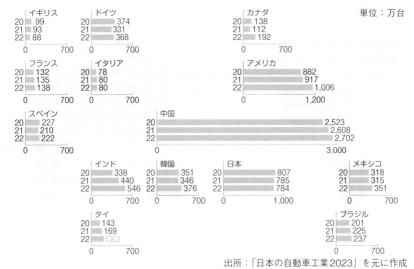

単位：万台

出所：「日本の自動車工業2023」を元に作成

▶ 車種別国内販売台数と構成比（2022年）

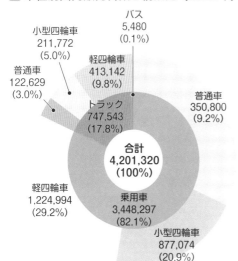

出所：「日本の自動車工業2023」を元に作成

▶ 車種別国内販売台数の推移

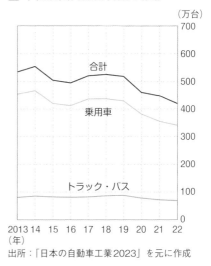

出所：「日本の自動車工業2023」を元に作成

Chapter1
03

主要な自動車メーカー

日本の自動車メーカーは国際的な競争力を持ち、世界中で販売台数、シェアを拡大してきました。近年では研究開発費やコスト削減を目的にメーカーの連携も進んでいます。また海外メーカーにおいても同様に提携が加速し、新興のメーカーの存在感も増しています。

世界で活躍する日本自動車メーカー

　国内の主要な自動車メーカーとして挙げられるのが、トヨタ、ホンダ、日産、スズキ、マツダ、三菱自動車、スバル、ダイハツの8社です。これらのメーカーは高品質と低価格を武器にグローバルで販売台数を伸ばしてきました。中でも、トヨタはメーカー別世界販売台数が1位、そのシェアは10％を超え、2位以下を大きく突き放しています。また、商用車を製造するメーカーとして日野自動車、いすゞ自動車、UDトラックス、三菱ふそうの4社があります。

　熾烈な競争の中、研究開発費の抑制やコスト削減を目的として自動車メーカー各社の提携関係が強化され、グループ化が進められています。2023年現在、国内ではトヨタグループ、日産／三菱グループ、ホンダの3つのグループが構成されています。

　ホンダは国内の自動車メーカーとの提携関係は結んでいませんが、海外メーカーのGMと提携しており、またソニーとEV専用の新会社を設立しています。提携関係の中で、各社はプラットフォームの共同開発やOEM供給、技術供与などを共同で行い、生産や開発の効率化、技術支援、販売網を強化し、グループとして競争力を高めています。

プラットフォーム
シャーシなど自動車の骨格にあたる部品の総称

OEM供給
自社で製造している自動車を他社に供給すること。この場合、他社では別の車名が付けられて販売される

海外メーカーと新興メーカー

　海外の主要な自動車メーカーは、ヨーロッパではVW、ルノー、北米ではGM、Ford、アジアでは現代（韓国）が挙げられます。国内メーカーと同様に、各社で連携関係強化が進められ、2020年にはフランスの大手メーカーPSAとイタリア／アメリカのメーカーであるFCAが合併してStellantisが設立されました。

▶ 国内自動車メーカーの主要な資本提携・業務提携

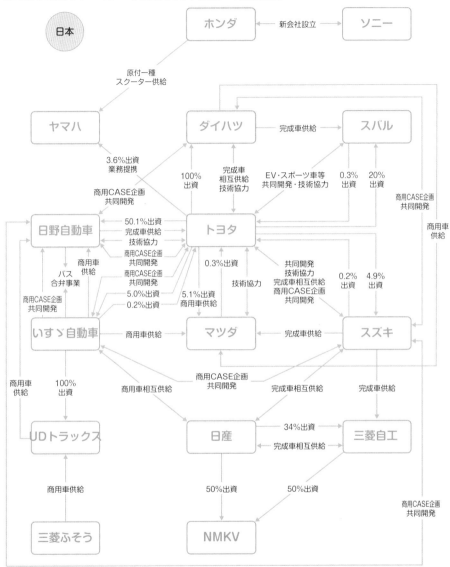

※提携先との業務内容は、「技術供与（提携）」「共同開発」「完成車供給（相互含む）」「合弁事業」等、自動車の製造に関わる提携業務とする

出所：「日本の自動車工業2023」を元に作成

Chapter1
04

自動車業界の構造

日本の自動車業界の特徴は、完成車メーカーを頂点とした垂直統合型の企業間関係である「ケイレツ」を形成し発展を遂げてきました。一方、欧州や北米では部品メーカーが商品を開発し、それを完成車メーカーに売り込んでいく水平分業型のビジネスが進んでいます。

「ケイレツ」というピラミッド

日本の自動車業界では、ケイレツと呼ばれるグループを構成して自動車の開発・生産が進められてきました。ケイレツとは完成車メーカーを頂点とし、その下にサプライヤーなどが属して、ピラミッド構造を形成している企業間関係のことです。

完成車メーカー（OEM）が部品仕様を決定し、その下に位置する一次サプライヤー（Tier1）は部品の開発を担当、さらにその下に位置する二次サプライヤー（Tier2）から部品の生産に必要な材料を調達するといったケイレツ内で各企業が緊密な関係が日本の自動車産業の競争力の源泉となっていました。

部品メーカーにとって、このケイレツの関係性はとても重要視されてきました。ケイレツに属することによって、長期的な部品の発注、つまり安定した売上を確保できるため、リスクを抑えた形で部品の開発を進めることができるからです。

また完成車メーカーにとっても、開発の早期段階から部品メーカーと協力しすり合わせ型の開発を行うことで品質向上やコスト削減を実現できるというメリットがあります。

水平分業の海外メーカー

一方、海外では、完成車／プロジェクトごとに、コストや品質に優れた部品を採用していく水平分業型が主流となっています。

メガサプライヤーで独自に部品を開発し、その部品を完成車メーカーに提案するというソリューション型の売り込みが盛んに行われています。最近では、ケイレツに属する日本の部品メーカーでもさらなる売上げ向上を目指して、ケイレツ外の海外自動車メーカーへの販売に力を入れるようになっています。

OEM
Original Equipment Manufacturer、自動車業界では完成車メーカーのことを指す場合が多い。OEM供給は意味が異なるため、注意が必要

Tier
仕入先の階層を示す言葉。一次仕入先はTier1、二次仕入先はTier2と表現される。一般的に階層が増えるほど企業規模は小さくなる（金型メーカーや材料メーカーもTier○で示されることがある）

▶ 垂直統合型と水平分業型

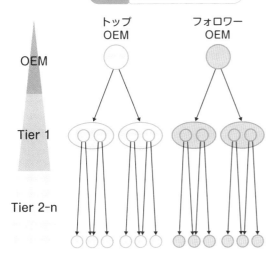
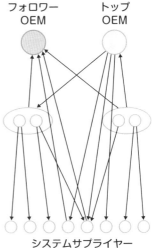

・OEMが部品/システムの仕様を決定し、戦略グループ内のTier 1に割り当てる
・Tier 1は戦略グループ内のTier 2から調達を行い、OEMの仕様を満たす部品/システム開発を行う

・OEMはコストパフォマンスに優れている部品/システムであれば、サプライヤーを問わずに調達する
・Tier 1はOEMの充足だけでなく、新車両のコンセプトにつながる部品/システムを積極的に提案する

出所：日経クロステックの図を元に作成

▶ 代表的なメガサプライヤー

ドイツ
・Bosch
・ZF
・Continental

北米
・Magna International
・Aptiv

フランス
・Valeo
・Faurecia

韓国
・現代モービス

日本
・デンソー
・アイシン

Chapter1 05

自動車部品業界の規模と海外展開

自動車の生産に必要な部品の多くはサプライヤーから納入しますが、それらの部品の製造を担うのが自動車部品メーカーです。自動車部品産業は出荷額、雇用人数などが大きく日本経済を支えている産業の1つです。また海外進出も進んでおり、現在では国内出荷額を上回るほどの成長を遂げています。

自動車部品産業は国内でも有数の市場規模と雇用を持つ

部品数
完成車メーカーで組付けられる部品の数。約3万点は内燃機関車の場合であり、パワートレインによって部品数は異なる

　一般的に自動車1台あたりに使用される部品数は約3万点といわれています。それぞれの部品は、安全性／機能性／快適性の向上に重要な役割を担っています。

　完成車メーカーでは、自社で作る部品（内製品）とサプライヤーから納入される部品（外注品）を組み合わせて、自動車の生産を行っています。部品の生産を担う自動車部品メーカーは、トヨタに関わるサプライヤーだけで、全国に約6万社以上存在しています。

　自動車部品産業は自動車の市場規模と連動し、自動車産業の拡大とともに年々その市場規模は大きくなっています。2022年度の国内出荷額は約27兆8,980億円を見込んでおり、製造業の中でも大きな一角を占めています。また、自動車部品産業で働く人は約67万人（2020年）と、多くの人々の生活の基盤となっています。

進む海外展開

産業支援
企業が海外に進出した際、自国産業振興のため、発展途上国を中心に使用する部品も現地調達するよう一定の比率が決められる国や地域がある

　自動車の海外生産を行う場合、該当国の産業支援を目的に、自動車部品の現地調達を行わなければならないことがよくあります。そのため、完成車メーカーに追随する形で、部品メーカーの海外進出も積極的に行われています。

　部品メーカーの海外売上高は、リーマンショック、コロナ禍を除けば右肩上がりで、2021年は海外出荷額が国内出荷額を上回っています。地域別に見ると、近年では中国の売上高が大きく増えており、北米と合わせると海外売上高全体の6割を占めています。今後は自動車販売台数の増加が見込まれている、ASEANやインドでの出荷額が増加すると予測されています。

▶ 自動車部品出荷額の推移

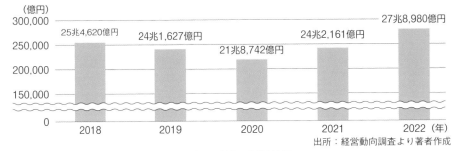

※上場企業かつ自動車部品の売上高の比率が50%以上の企業が対象

▶ 自動車部品の国内出荷額と海外出荷額

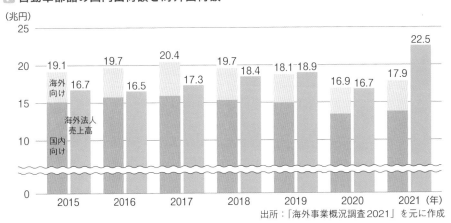

▶ 自動車部品メーカー　地域別売上高

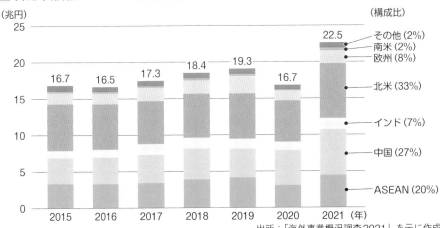

Chapter1 06

自動車部品メーカーの事業の特徴

自動車部品メーカーは完成車メーカーからの原価低減が求められ、営業利益率は他業界と比べ低い傾向にあります。また、完成車メーカーとは異なり、自動車部品専業ではない企業も多く、部品以外に多様な事業を展開しています。

厳しい原価低減、納期が求められる自動車業界

完成車メーカーを頂点とした「ケイレツ」関係の中で、部品メーカーは原価低減を強く要求され、営業利益率は5％前後、日本最大の部品メーカーであるデンソーが約6.66％（2023年3月期）と決して高くありません。ただし、技術力が高く、グローバルで高シェアの部品を生産している高収益の企業もあります。例えばセラミックの技術が高く、自動車のエンジン点火に不可欠なスパークプラグや排気ガスのセンサーを生産する日本特殊陶業は自動車関連事業の利益率が20％前後と高い収益を上げています。

また、自動車は1つでも部品が足りなければ生産することができません。トヨタの「ジャストインタイム」に代表されるように、自動車メーカーでは部品在庫を極力抑える傾向があり、そのため部品メーカーは要求される納期に対して遅れないように部品を納入することが必要とされます。

スパークプラグ
ガソリンを燃焼させるための着火の役割を果たす部品。点火プラグとも呼ばれる

ジャストインタイム
「必要なものを、必要なときに必要な量だけ造る」生産方式。詳細は6-5を参照

自動車部品以外の事業で稼ぐ

自動車部品メーカーは、業績の安定性を高めるために、自動車以外のさまざまな事業を手掛け、収益の多角化を進めています。

トヨタグループの豊田自動織機はコンプレッサーエンジンなどの自動車部品を手掛ける一方で、産業機械、フォークリフトで世界トップシェアを持ち、自動車部品事業を上回る利益を上げています。

また私たちが日々目にするQRコードもデンソーの現場改善の声から開発されました。自動車部品メーカーでは、自動車で培った技術を活かして他業界へ事業を展開し、収益性を高めようとしています。

▶ 自動車部品産業全体の営業利益率

(%)

- 2018: 5.3%
- 2019: 2.7%
- 2020: 3.4%
- 2021: 4.6%

（年度）

出所：日本自動車部品工業会「経営動向調査」を元に作成

▶ 豊田自動織機のセグメント別売上（2022年度）

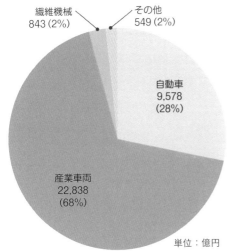

繊維機械 843（2%）
その他 549（2%）
自動車 9,578（28%）
産業車両 22,838（68%）

単位：億円
出所：豊田自動織機の決算資料を元に作成

▶ 電動フォークリフト gene B（豊田自動織機）

出所：豊田自動織機

Chapter1

07

自動車部品別の出荷規模

自動車は約3万点の部品から構成されています。例えば内装のシートのような大きな部品から、油を封じるオイルシールなどの小さな部品まで多種多様な部品で自動車は組み立てられ完成します。

非常に多岐にわたる自動車部品

　2021年度自動車部品出荷額は、約17兆8,962億円で2020年度比で5.7％増となりました。自動車部品の種類は多岐に渡り、自動車部品工業会では大きく9種類に分類しています。

　分類別で出荷額が一番多いのは車体部品、その次に駆動／伝導および操縦装置部品が続きます。部品別では自動トランスミッション（約1兆6,489億円）、シート及びシートスプリング（7,806億円）、冷房装置（6,666億円）が出荷額の上位となっています。

　これらの部品はすべてが自動車メーカーに納入されるわけではりません。他の部品メーカーに納入される場合や、自動車メーカーの補給品、販売店の修理部品など出荷先はさまざまです。

　また自動車業界では集中購買によるコスト削減や品質管理上の理由から、完成車メーカーが部品メーカーに部品を供給する支給品という流れが存在することも特徴です。

自動トランスミッション
AT車（オートマチック車）に搭載される自動変速機。アクセル操作や車速に応じて変速を自動的に行う機能を持つ

技術変革で変わっていく部品

　近年では電動化などの技術革新が進み、部品の構成も大きく変化しています。ハイブリッド、電気自動車向けのモーターは2020年度256億円から2021年度746億円と1年間で約2.9倍に増加しました。

　EVシフトやソフトウェア関連の機能が増える中で、電装品／電子部品や電動車用部品は今後も成長が見込まれ、一方で内燃機関に関わる部品は徐々に市場規模が小さくなると予想されています。

　需要減少が見込まれるサプライヤーについては将来的に経営不安が懸念されるため、政府による業態転換／事業再構築の支援プロジェクトがすでに始まっています。

▶ 部品分類別売上の割合（2021年度）

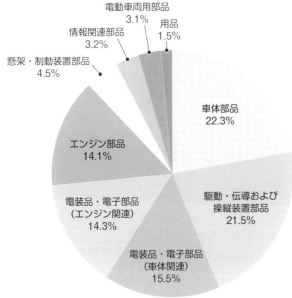

- 電動車両用部品 3.1%
- 用品 1.5%
- 情報関連部品 3.2%
- 懸架・制動装置部品 4.5%
- 車体部品 22.3%
- エンジン部品 14.1%
- 電装品・電子部品（エンジン関連）14.3%
- 電装品・電子部品（車体関連）15.5%
- 駆動・伝導および操縦装置部品 21.5%

出所：「自動車部品出荷動向調査結果」より著者作成

▶ 電動化に伴う使用部品数の変更

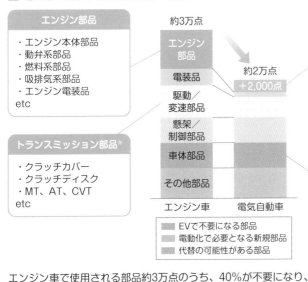

エンジン部品
・エンジン本体部品
・動弁系部品
・燃料系部品
・吸排気系部品
・エンジン電装品
etc

トランスミッション部品※
・クラッチカバー
・クラッチディスク
・MT、AT、CVT
etc

約3万点

エンジン部品
電装品
駆動／変速部品
懸架／制御部品
車体部品
その他部品

約2万点
+2,000点

エンジン車　電気自動車

■ EVで不要になる部品
■ 電動化で必要となる新規部品
■ 代替の可能性がある部品

モーター／バッテリー部品
・リチウムイオンバッテリー
・駆動用モーター
・インバーター
・DC–DCコンバーター
etc

車体部品
・ボディ外板
・バックドア、サンルーフ
・ヘッドランプ
　（カメラ／センサー一体化）
・ドアミラー
　（電子化）
・バンパー
　（ミリ波レーダー対応）
・フロントグリル
　（ミリ波レーダー対応）
・フロントガラス
　（テレマティクス対応）
etc

エンジン車で使用される部品約3万点のうち、40%が不要になり、電動化に伴う新規部品約2,000点が追加される

※電動車の中に簡易なトランスミッションが搭載される場合がある

出所：三井住友銀行の図を元に作成

Chapter1 08

加速する業界再編

100年に一度の変革期を迎え、自動車業界では完成車メーカーだけでなく、部品メーカーでも再編が進んでいます。これまで「ケイレツ」を軸として発展を遂げてきた日本自動車業界の関係は見直されつつあります。

変わる部品構成と増える研究開発費

CASE
詳細は2-1を参照

「CASE」に代表される自動車の技術革新が進み、自動車業界では完成車メーカー、部品メーカーともに新規技術開発による研究開発費が増加しています。また電動化、ハードウェアからソフトウェアの移行により部品構成が大きく変化し、内燃機関部品では需要が縮小し、半導体やモーター、電池などの部品は需要拡大が見込まれています。

これまで日本の自動車業界は「ケイレツ」を軸とした完成車メーカーを頂点とするピラミッド構造が特徴でしたが、これらの変化を受けて業界再編が進んでいます。

進む合併や業務提携、事業売却

近年、自動車部品メーカーでは研究開発や設備投資費を抑制するため、合併や業務提携などによる事業規模の拡大が相次いでいます。2021年には日立オートモティブシステムズ、ケーヒン、ショーワ、日信工業の4社が合併し、日立Astemoが誕生しました。売上高は1兆5,997億円（2021年度）と自動車事業の売上として日本でTOP10に入る企業が誕生する大型合併となりました。

また縮小する内燃機関部品のエンジンピストンリングでは、国内2位のリケンと3位の日本ピストンリングが、2023年をめどに経営統合を発表しました。

フューエルポンプモジュール
燃料タンクからガソリンをエンジンに供給するための部品。燃料を濾過して異物を取り除くフィルタ、燃料の残量を検知するレベルゲージなどが搭載されている

事業の「選択と集中」も進んでいます。デンソーでは今後縮小が見込まれる「フューエルポンプモジュール（FPM）」事業を同じトヨタケイレツの愛三工業へ事業譲渡しました。将来性の低い事業の売却を進め、成長の見込まれる電動化、自動運転などへの投資に経営資源を投入する動きが活発になっています。

▶ 日立Astemoの合併

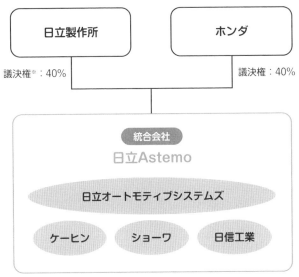

※2023年9月現在、JICキャピタルが20%の議決権を保持している
出所：日立製作所プレスリリースを元に作成

▶ デンソーにおける研究開発費の推移

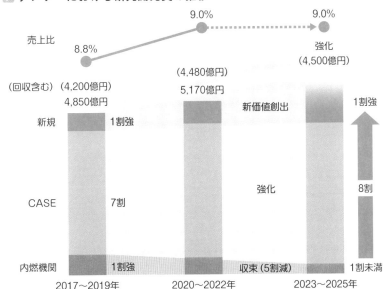

出所：デンソー公開資料を元に作成

在庫が少ないことは
本当に良いことなのか？

日本の自動車業界が得意とする「カイゼン」。現場主導での生産性を向上させる際に、まず行われるのはムダの削減です。カイゼンは、7つのムダである「加工のムダ、在庫のムダ、不良、手直しのムダ、手持ちのムダ、造りすぎのムダ、動作のムダ、運搬のムダ」の見直しによって、進められていきます。

この7つのムダの中でも優先すべきとされているのが「造りすぎのムダ」「在庫のムダ」です。この2つのムダがあると、問題が起きた際に、在庫があることによって顕在化せず、異常を異常と思わない運用が定常化してしまうためです。

過剰在庫はマクロで見ると、生産から出荷までのリードタイムが長くなります。それにより、キャッシュフロー上で経営に与える影響が大きくなる欠点もあります。自動車業界では「ジャストインタイム」に代表されるように極力在庫を削る仕組みを作り上げてきました。

ただ在庫がすべて悪いのかといわれるとそうではありません。コロナ禍では生産／物流が途絶えることによって部品の供給ができず、完成車工場の稼働が止まることが相次ぎました。

またリードタイムの長い半導体の発注が一時的に止まったことにより、増産が決まった後も供給が間に合わず、完成車メーカーの希望通りの生産数量が作れない事態が数年に渡って続いています。在庫は供給問題を解消するバッファとして重要な意味を持っています。

コロナ禍や半導体供給不足問題への反省、中国などのカントリーリスクなどを踏まえて、状況に合わせた在庫の持ち方「ジャストインケース」への変更が進んでいます。

ただし、重要なのは在庫をやみくもに増やしてよいということではありません。「なぜこれだけの在庫が必要なのか」を具体的に説明できるような運用が必要とされます。

TPS（トヨタ生産方式）に代表される張り詰めた「異常が異常としてきちんと見えてくる」生産の仕組み、在庫運用は日本の自動車業界の競争力の源泉となっていることは忘れてはいけません。

第2章

自動車部品業界の最新動向

自動車業界は現在、100年に一度といわれている変革期を迎えています。これは自動車部品業界にとってもたいへん大きな出来事であり、今後の生き残りをかけてサプライヤーは戦略の転換などを迫られています。本章では、自動車業界の主だった最新動向について解説していきます。

Chapter2 01

CASE

自動車業界は100年に一度と呼ばれるパラダイムシフトを迎えており、CASEという概念が登場するなど、自動車メーカーや自動車部品メーカーは、環境の変化に対する迅速な対応が求められています。

CASEとは？

CASE
Connected、
Autonomous、
Shared＆Service、
Electric、「コネクテッド」「自動運転」「シェアリングサービス」「電動化」の英語の頭文字を取った造語

CASEは、2016年9月のパリモーターショーにてDaimlerが提唱し、その後自動車業界の変革を象徴する言葉として広く使用されるようになりました。移動自体をサービスとして捉えるMaaSと合わせて、昨今における自動車業界のトレンドとなっています。自動運転や電動車などの技術的な領域だけでなく、シェアリングサービスといった販売や利用形態をも含む、自動車におけるビジネスモデル全体の変化を表しています。

CASEが進む背景と与える影響

MaaS
Mobility as a Service、鉄道、バス、タクシー、飛行機、シェアサイクルなどあらゆる交通手段を1つのサービス上に統合し、より便利な移動を実現する仕組みのこと

CASEが進む背景として、経済社会構造の変化、環境への配慮、消費者の価値観の変化、技術の進化などの複数の要因が挙げられます。

CO$_2$排出削減を主とした環境規制の強化や、消費者の環境問題への関心の高まりから普及が進んでいる電動車、「所有から利用へ」という消費者心理の変化に伴うシェアリングやサブスクリプションなど新規サービスの台頭してきました。また安全性の向上やドライバーの負担軽減を実現するAIの活用や、センサーの進化から自動運転の開発などが積極的に進められています。

自動車業界の変化はさまざまな分野に影響を及ぼします。例えば、電気自動車が蓄える電力に着目し、走る蓄電池として活用するなど、単なる移動手段としての役割を超えたものに変化してきました。またコネクテッドカーの普及によって、実走行データに基づいた保険料の設定を行う自動車保険なども登場しています。

その他にも、ホンダが建機メーカーのコマツと土木／建設業界向けバッテリー共用システムの共同開発など、今後も業種を超えた連携が進んでいくと考えられます。

▶ CASEの全体像

CASE

Connected
つながる

Autonomous
自動運転

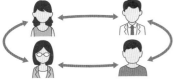

Shared/Services
シェア/サービス

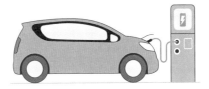

Electric
電動化

▶ ホンダとコマツが共同開発するバッテリー交換式ミニショベル

出所：ホンダ

Chapter2
02

Connected ― つながる車へ

コネクテッド（CASE の C）は、自動車に通信機器やセンサーを搭載し、インターネットを介して外部機器やサービスと「つながる」ことで、車や周辺の状況、道路状況など、さまざまな情報を活用することです。

ICT
Information and Communication Technology、情報通信技術のこと。コネクテッドカーでは、情報通信技術を使って車両の状態や周囲の道路状況などのさまざまなデータをセンサで取得、ネットワークを介して集積／分析することで、新たな価値を生み出すことが期待されている

V2X
Vehicle-to-Everything、クルマと何か（クルマ、歩行者、インフラ、ネットワークなど）との接続や相互連携を行う技術の総称

スマートシティ
都市が抱える諸問題に対して、ICT 等の新技術を活用しつつ、計画・整備・管理・運営が行われ、全体最適化が図られる持続可能な都市または地区

ADAS
Advanced Driver-Assistance Systems、先進運転支援システムのこと

コネクテッドとは

コネクテッドカーは、ICT 端末としての機能を有する自動車のことで、通信システム、IoT（Internet of Things）、データ分析など、技術の進歩により近年急成長を遂げています。

コネクテッドの領域としてさまざまな機器と連携します。その例として情報や娯楽を提供する IVI（車載インフォテインメント）、ソフトウェアアップデートにより常に最新の車両性能を実現できる OTA、他の車両やインフラ、デバイスと通信し、交通、道路状況、潜在的な危険などの情報をリアルタイムで提供する V2X 通信などが挙げられます。

また、将来的にはトヨタが取り組む Woven City（ウーブンシティ）に代表されるスマートシティにおいても、コネクテッドカーが重要な役割を果たすと考えられます。

コネクテッドの例

コネクテッドカーから収集、送信された情報を集積／分析することにより、新たな価値の創出が期待されています。その活用例として、ADAS や自動運転などの運転支援／車両制御、車両状態や故障の予兆を検知して整備工場への入庫をサポートする車両管理、安全運転診断やドライバーの疲労・眠気を感知する安全管理、走行距離や急制動／加速など運転情報を評価して保険料金を算定するテレマティクス保険などがあります。

国内自動車メーカーが展開するサービスとしては、トヨタ「T-Connect システム」、日産「Nissan Connect」、その他にも NTT グループや KDDI、マイクロソフト、ソフトバンクなど、他業種との協業や共同での研究開発も盛んに進められています。

コネクテッドカーのイメージ

自動車は、多くの通信で外部とつながっていく

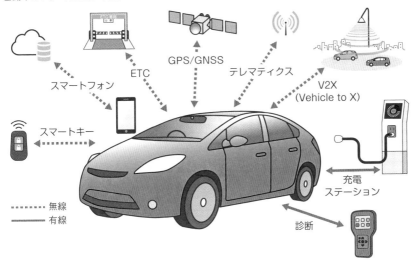

出所：経済産業省の資料を元に作成

コネクテッドサービスの区分と活用例

区分	V2V (車車間通信)	V2I (路車間通信)	V2P (歩行者通信)	V2N (インターネット通信)	
機能	運転支援 / 車両制御			マルチメディア	車両管理
	・ADAS ・隊列走行 ・協調型自動運転 ・道路インフラ（ETC など） ・AEBS ・スマートフォン連携（対歩行者）			・ナビ / 　レコメンド機能 ・コンテンツ配信 ・SNS 連携 ・車内決済 ・広告 / 　クーポン配信	・車両状態管理 ・故障予測検知 ・遠隔診断 ・予防メンテナンス ・OTA
	V2N (インターネット通信)				
	安全管理	燃費管理	保険	運行管理	
	・緊急通話 ・疲労・眠気検知 ・安全運転診断 ・安全運転アシスト	・エコ運転診断 ・エコ運転アシスト ・燃費ログ	・走行距離連動型 　保険 ・運転行動連動型 　保険	・GPS 機能 ・貨物マッチング ・業務システム連携 ・輸送状況検知 ・運行ルート設計 ・労務管理	

出所：各種資料を元に矢野経済研究所作成

Chapter2
03

Autonomous — 自動運転

Autonomous（自動運転、CASEのA）は、センサー、カメラ、レーダー、人工知能（AI）などを組み合わせて、人間の運転補助または完全に自律走行を実現する技術のことを指します。

自動運転とは

交通事故の軽減を目的とした安全性の向上や、省人化によるドライバー不足問題を解決する手段として、自動運転技術の開発、普及が進められています。

自動運転は機能や運転主体、走行条件の有無により1〜5の5段階でレベルが定義されています。運転の責任主体はレベル2まではドライバー、レベル3以降はシステムとなっています。

現在、レベル1と2に相当する技術は、多くの自動車メーカーでADASとして搭載されています。また2021年にはレベル3の技術を搭載したホンダ「レジェンド」を発売しました。

レベル4と5では、ドライバーが存在しない車両が公道上を走行するため、現時点では技術的な課題も多く、安全性確保のための法整備も必要となります。

日本においても道路交通法が改正され、人が遠隔監視しながら決まったルートを走るバスなどでの運用を想定したレベル4の自動運転が解禁されています。2023年5月には国内初となるレベル4の認証を取得した車両も登場しました。

レベル3の技術を搭載したホンダ「レジェンド」
2023年9月現在、すでに販売終了

国内初となるレベル4の認証を取得した車両
福井県の京福電気鉄道永平寺線跡の道路（約2km）を走行している

自動運転の取り組み事例

トヨタは、自動運転シャトル「e-Palette」を東京オリンピック・パラリンピックで運行させたほか、自動運転技術のソフトウェア開発を専門的に行う「TRI-AD」を2018年に設立しています。

日産はADAS機能「プロパイロット2.0」において、高速道路のナビ連動走行と同一車線でのハンズオフ機能の提供、ホンダは、GM、Cruise社と自動運転モビリティサービス専用車両「クルーズ・オリジン」の量産に向けた実証を進めています。

TRI-AD
設立後に分社化と名称変更が実施され、2023年現在、自動運転ソフトウェアの開発会社は「ウーブンバイトヨタ」となっている

▶ 自動運転のレベル別定義

政府目標

システムによる監視

ドライバーによる監視

レベル5
○**完全自動運転**
　常にシステムが運転を実施

レベル4
高速道路でのレベル4の自動運転
（2025年目途）
限定地域での無人自動運転移動サービス（2020年まで）

○**特定条件下における完全自動運転**
　特定条件下においてシステムが
　運転を実施

特定条件下とは…
場所（高速道路のみ等）、天候（晴れのみ等）、速度など
自動運転が可能な条件
この条件はシステムの性能によって異なる

レベル3
高速道路におけるレベル3
の自動運転（2020年目途）

○**特定条件下における自動運転**
　特定条件下においてシステムが運転を
　実施

レベル2
システムが前後および左右の車両制御を実施
○**高度な運転支援**
【例】高速道路において、
①車線を維持しながら前のクルマに付いて走る（LCAS＋ACC）
②遅いクルマがいればウインカー等の操作により自動で追い越す
③高速道路の分合流を自動で行う

レベル1
システムが前後・左右いずれかの車両制御を実施
○**運転支援**
【例】
・自動で止まる（自動ブレーキ）　・前のクルマに付いて走る（ACC）
・車線からはみ出さない（LKAS）

ACC：Adaptive Cruise Control,　LKAS：Lane Keep Assist System

出所：国土交通省「官民ITS構想・ロードマップ2020」を元に作成

▶ 世界初レベル3の自動運転機能「Honda SENSING Elite」を搭載した「レジェンド」

Honda SENSING Elite搭載。先進技術のフラッグシップ。

出所：ホンダ

Chapter2
04

Shared & Service
── 所有から利用へ

Shared & Service（CASEのS）は、**カーシェアリングやライドシェアリ**
ングなど自動車の利用に関するサービスのことです。これらは1台の車両を
複数人で共同利用する形態で、世界中で普及が進んでいます。

Shared & Service とは

　カーシェアリングは、消費者の嗜好の変化、車両管理技術の発
展などを背景に、マイカーに代わる選択肢として都市部を中心に
近年注目を集めています。ユーザーはオンデマンドで車両を利用
でき、利用した時間分だけ料金を支払います。

　カーシェアリングの多くは、スマートフォンアプリだけで車両
検索から予約、ロック解除までを行うことができます。その便利
さや使った分だけ課金という経済面から、カーシェアリング市場
は拡大傾向にあり、多くの企業がこの分野に参入しています。

　カーシェアリングとさまざまな移動手段と組み合わせることに
よって、**マルチモーダル**な交通エコシステムが構築され、利便性
の向上や環境にやさしい移動を実現することができます。

マルチモーダル
鉄道、バス、自転車
など複数の交通手段
の連携を通じて、利
用者の移動に対する
ニーズに対応した効
率的な交通環境のこ
と

　ライドシェアリングは、自家用車を複数人で相乗りする形態の
ことです。海外ではすでに普及が進んでいますが、日本では道路
運送法によって、特例を除き、原則禁止となっていますが、解禁
に向けた動きが見られます。

日本におけるシェアリングの現状

　日本のカーシェアリング市場は成長を続けています。2022年3
月末のカーシェアリングの車両台数は5万1,745台（前年比約108
％）、会員数は約263.6万人（同約110％）となっています。

　国内ではタイムズカーが最大手で、カレコ・カーシェアリング
クラブ、オリックスカーシェアがそれに続きます。いずれも東京、
名古屋、大阪などの主要都市を中心に展開し、コンパクトカーか
ら高級車まで幅広い車種を取り揃え、ユーザーのニーズに対応し
ています。

▶ **カーシェアリングのメリット／デメリット（レンタカーとの比較）**

	レンタカー（タイムズカーレンタル）	カーシェアリング（タイムズカープラス）
メリット	・長時間の利用が可能 ・チャイルドシートなどのオプションがある ・洗車サービスがある ・車種バリエーションが豊富 ・在庫調整による予約の制限が少ない	・15分からの利用が可能 ・24時間いつでも利用できる ・貸出拠点が多い ・利用時に店頭手続きが不要 ・わかりやすい料金体系
デメリット	・短時間の利用料が高い ・店舗営業時間外の利用が不可 ・貸出拠点数が少ない ・出発手続きが煩雑	・長時間の利用ができない ・オプションサービスがない ・車種が限定される ・1車室＝1台のため、予約が限定される

出所：パーク24

▶ **わが国のカーシェアリング車両台数と会員数の推移**

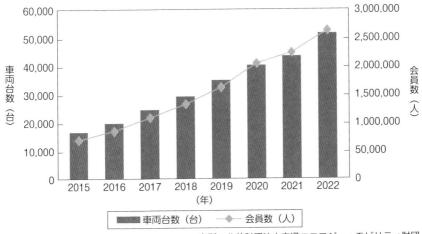

出所：公益財団法人交通エコロジー・モビリティ財団

　一方、車両の非稼働時間の改善が収益面での課題となるため、
提供する車両数を伸ばすためには、稼働率の維持や向上が求めら
れます。また、レンタカーと異なり、乗り捨て型などの展開が少
ないため、利便性の向上も今後の鍵になるとされています。

Chapter2 05

Electric — 電動化

Electric（CASEのE）は、自動車の電動化技術を指します。地球温暖化対策として車両の電動化が急速に進んでおり、走行中にCO_2を排出しない電気や水素の活用に注目が集まっています。

自動車の電動化が進む背景

　世界全体のCO_2排出量の約2割が運輸部門から排出されており、その中でも乗用車、トラック、バスが主な排出源となっています。自動車の電動化は、CO_2排出削減、大気汚染問題解決などに寄与します。EUやカリフォルニア州がガソリン車やディーゼル車の販売規制を打ち出すなど、自動車の電動化は急速に進むと見られます。

　電動車にはHEV、PHEV、BEV、FCEVと呼ばれるタイプがあります。PHEVやBEVはバッテリー製造で強みを持つ中国メーカーや先進性を評価されたTeslaなどの新興メーカーが中心となって、シェアを拡大しています。FCEVを市販するメーカーは、トヨタ、ホンダ、現代などに限られていますが、乗用車だけでなくトラックやバス、建設機械での活用も模索されています。

建設機械での活用
水素燃料電池（FC）を搭載したパワーショベルやホイールローダーの開発が進められている

自動車における電動化の現状と将来展望

　2022年のグローバルにおける四輪車販売台数は8,270万台で、うち電動車は1,690万台と販売比率は約20％となっています。2022年には長年電動車において販売台数トップであったHEVを初めてBEVが超えました。近年では、ヨーロッパや中国のメーカーが進めているEVシフトにより、BEVやPHEVなどの選択肢が増加しています。

マルチパスウェイ
単一ではなく、HEV、PHEV、BEV、FCEVなど複数のパレートレインの開発／販売を進める考え方

　国内メーカーの戦略も会社によって異なり、トヨタは**マルチパスウェイ**、ホンダは2040年にBEV、FCEVのみ販売、脱エンジン化を目指しています。しかし、海外メーカーの多くはBEVを中心に展開しており、BEVが電動化の本命になるとされています。日本でも軽自動車のBEVが2022年から発売されるなど普及が見込まれます。

▶ 電動車の種類

	MHEV	SHEV	PHEV	BEV	FCEV
	マツダ MAZDA3	トヨタ Yaris Hybrid	トヨタ Prius PHEV	トヨタ bZ4x	トヨタ Mirai
日本国内販売価格※1	約258万円	約201万円	約460万円	約600万万円	約710万円
最大航続距離※2	836.4km	1,296km	1,205km	559km	756km
燃費／電費性能	16.4km/L	36.0km/L	26.0km/L＋7.46km/kWh	128Wh/km	135km/kg
Tank to wheel※3	▲	○	○	◎	◎
LCA※4	×	▲	○	▲～◎（再エネ使用率で変動）	▲～◎（再エネ使用率で変動）
備考	ICEVとの価格差は約30万円	ICEVとの価格差は約30万円	ICEVとの価格差は約30万円	—	—
運用条件試算（1,000km走行）給油／充電回数燃料コスト※5	タンク容量：51L 1給油走行距離：836.4km 給油回数：1.2回 燃料コスト：9,976円	タンク容量：36L 1給油走行距離：1296km 給油回数：0.8回 燃料コスト：4,694円	容量（タンク+バッテリー）：43L＋51Ah 1給油走行距離：1,205km 給油回数：0.8回 燃料コスト：6,093円	バッテリー容量：71.4kWh 1給油走行距離：559km 給油回数：1.8回 燃料コスト：3,470円	タンク容量：5.6kg 1充填走行距離：756km 充填回数：1.3回 燃料コスト：8,736円

出所：矢野経済研究所作成
画像出所：トヨタ／マツダ

▶ 電動四輪車の普及状況と将来展望

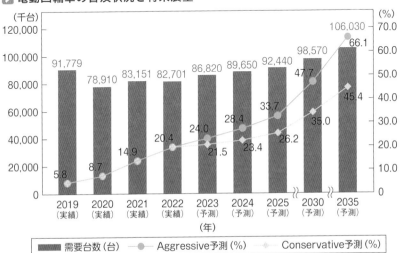

出所：JAMA統計などを元に矢野経済研究所推計

Chapter2 06

HEV／PHEV（ハイブリッド自動車）

HEVは、エンジンとモーターの2つの動力を搭載する自動車、PHEVは、HEVに外部充電装置と接続して充電できる機能を組み込んだ自動車のことを指します。

ハイブリッド車とは

HEV
Hybrid Electric
Vehicle

　HEVは、1997年に世界初の量産型HEVである初代「プリウス」が発売され、低燃費性や環境性能を背景に人気を獲得し、国内外で販売台数を伸ばしました。

　エンジンとモーターを動力源として備え、主にエンジンで走行し、モーターは発進のアシストとして使用するパラレル式、モーターのみで走行するシリーズ式、エンジンとモーターを同時に使用し、走行状況に合わせてモーターとエンジンを使い分けるシリーズパラレル式に大別されます。

　また、バッテリーの電圧や方式によってストロングハイブリッド（SHEV）、マイルドハイブリッド（MHEV）と呼ばれることもあります。

　SHEVは、モーターと200Vを超える高電圧バッテリーで構成され、モーターのみで走行することも可能です。燃費改善効果が高い一方、高電圧用の安全装置などが必要となるため、車両コストは増加します。

　MHEVはSHEVより小型なモーターと低電圧バッテリー（12V、48V）で構成されます。高電圧対応が必要ないため、低コスト化、省スペース化が可能です。VolkswagenやMercedesなどが中心に48VタイプのMHEVの普及を進めており、国内では軽自動車で12VタイプのMHEVを搭載しています。

プラグインハイブリッドとは

PHEV
Plug-in Hybrid
Electric Vehicle

　PHEVは、大容量のバッテリーを搭載し、外部からの充電した電力だけで走ることを可能にした自動車です。ガソリンの給油で走行する利便性を持ちながら、モーターでの走行可能距離はHEV

▶ HEVの仕組み

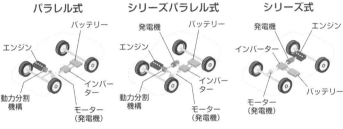

採用メーカー	ヨーロッパの メーカーが中心	トヨタ、ホンダ	日産、Renault など
特徴	・エンジンによる走行が基本 ・負荷が大きい発進時などにモーターでサポートする方式 ・ガソリン車に小さいモーターとバッテリーの搭載で対応可能	・発進時や低速時などパワーが求められる場面ではモーターで走行 ・通常走行時は、エンジンとモーターを状況によって使い分ける	・モーターによる走行 ・エンジンは発電機として回し電気を作ってバッテリーに充電を行う

出所：理経済の資料を元に作成

▶ PHEVの仕組み

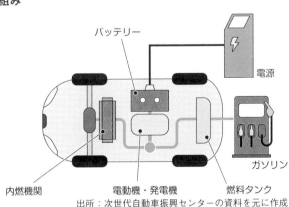

出所：次世代自動車振興センターの資料を元に作成

よりも長く、コストが安い電力でも走行できるというメリットがあります。一方、HEVよりもバッテリーは大型になり、車両コストが高くなるため、部品スペースや車両価格に制限がある小型車両では採用されず、大型車が中心のラインアップとなっています。

Chapter2
07

BEV（電気自動車）

BEVはエンジンを搭載せず、バッテリーに充電された電力を使用し、モーターによって走行する自動車です。ガソリン車と比較して構成部品が少なく障壁が低いことから、異業種の参入も盛んです。

BEVとは

BEV
Battery Electric
Vehicle

BEVは、電力だけでモーターを稼働させ走行することから、走行中にCO_2や排ガスを排出しないため、近年の環境意識の高まりから注目を集めています。

モーター、インバーター、バッテリーなどが主要部品で、高効率化、小型軽量化などの開発が盛んに進められています。バッテリーの出力密度は日々向上し、全固体電池など新しいタイプの開発も進んでいます。

出力密度
単位体積あたりに出せるエネルギーのことで、搭載スペースの限られる車載バッテリーにおいては、少ない質量や体積で高出力が得られるバッテリーが一般的に良いとされている

世界初の量産BEVである日産自動車「Leaf」の発売から10年以上が経過した現在、軽自動車から大型トラックまでラインナップされ、2022年のBEV世界販売台数は約790万台と、2017年（約76万台）からの5年間で10倍以上に成長しています。

BEVの現状と将来展望

2022年にBEVはHEVの世界販売台数を初めて超えました。これはヨーロッパや中国メーカーのBEVのラインナップ拡充や新興メーカーの台頭に加え、各国政府による補助金や税制優遇など、BEV移行への積極的な政策によるものです。

BEVは航続距離が短いという弱みがあり、今後の課題としてバッテリーの進化、充電インフラの増強などが必要とされています。またバッテリーは量産化によるコスト低減が進んできましたが、近年の社会情勢の不安から製造コストの増加が懸念されています。

2023年3月、ヨーロッパでの2035年以降のガソリン車販売禁止にストップがかかるなど、BEVが本命視されてきた流れに変化が見られます。

しかし、環境性能の高さから自動車の電動化の中ではBEVが本

▶ BEV の仕組み

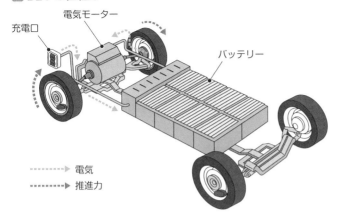

電気モーター

充電口

バッテリー

┄┄┄→ 電気

┅┅┅→ 推進力

▶ 日産自動車の軽 BEV「Sakura」

出所：日産自動車

命であることには変わりません。2022年に日産／三菱自動車が
販売開始した軽BEVが販売好調で、BEV導入に消極的といわれて
きたトヨタも2026年のBEV世界販売台数の目標を150万台に設
定するなど、今後急速に普及が進むと見られています。

FCEV（燃料電池自動車）

FCEVは燃料電池自動車と呼ばれ、車両に搭載した燃料電池で発電し、その電気を使ってモーターで走行する自動車です。走行時に排出されるのは水だけで「究極のエコカー」とも呼ばれています。

FCEVとは？

FCEV
Fuel-Cell Electric Vehicle

FCスタック
FCEVにおいて車両上で発電を行う部品のこと、発電のための水素と酸素が供給され、水へと変化する過程で発生する電気を利用する

グリーン水素
水素は生成方法によって名称が異なり、再生可能エネルギー由来の物をグリーン水素と呼ぶ。一方で、化石燃料由来のものをブルー水素と呼ぶ

ZEV
Zero Emission Vehicle

FCEVは、大気中の酸素と燃料の水素をFCスタックで化学反応させて発電し、その電力を利用して走行する自動車です。大気汚染やCO_2排出削減への貢献が期待され、グリーン水素の活用でカーボンニュートラルの達成が可能となります。なお、BEVとFCEVは再エネの活用によって排ガスやCO_2排出ゼロを実現できるため、ZEVとも呼ばれます。2014年にトヨタが世界初となる量産FCEV「ミライ」を発売し、ホンダや韓国の現代自動車なども参入しています。

FCEVは、FCスタック、水素を貯蔵する高圧タンクなどが特有の部品で、高電圧バッテリーも搭載するタイプが一般的です。1回の水素充填で500kmを超える走行が可能で、充填時間の短さ、航続距離の長さ、車両重量増加の影響が少ないなどの利点から、BEV化が難しいとされる大型トラック向けとして注目を集めています。

2020年に現代自動車がFCEVトラックの販売を開始し、トヨタやホンダも実用化に向けた実証実験を行っています。また、大型車ではトヨタ「SORA」などのFCEVバスがすでに運行を開始しています。

FCEVの現状と将来展望

2023年現在、FCEVの販売台数は国内では1,000台弱、世界全体でも数万台程度と非常に少ないです。今後の課題として車両価格や水素コストの低減、インフラの整備などが挙げられます。コストの低減には、燃料電池システムの改良が必要で、プラチナなど貴金属の使用量低減や、燃料電池の小型化などが求められます。

2023年現在、FCEVの1kmあたりの走行に必要な燃料コストは

▶ 燃料電池車の仕組み

FCV5つのメリット

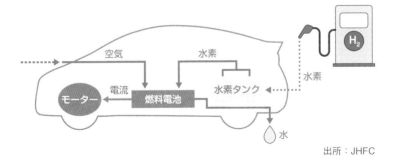

出所：JHFC

▶ トヨタ自動車大型FCEVバス「SORA」

出所：トヨタ自動車

約8.8円と、近年の価格高騰によってガソリンと同程度ですが、水素ステーションが国内約160カ所（ガソリンスタンド：約2万9,000ヵ所）と非常に少ないことが普及の障壁となっています。

　FCEVの本格的な普及には、商用車や建設機械など業務用車両へ展開し、燃料電池システムを量産化、水素の需要を高め、全体的なコスト低減を進めていく必要があります。

Chapter2
09

カーボンニュートラル燃料

カーボンニュートラル燃料（CN燃料）は、燃焼時に発生するCO_2を植物の光合成や製造過程であらかじめ回収することで、大気中のCO_2を増やさない燃料の総称です。

CN燃料とは？

SAF
Sustainable Aviation Fuel、植物由来で従来のジェット燃料の代替として使用される燃料のこと

CN燃料には、バイオ燃料、e-fuel、SAF、水素などがあり、すでに商用化されたものと現在開発進行中のものに分けられます。

すでに商用化されたバイオ燃料は、サトウキビなどから発酵／蒸留を経て作られ、化石燃料とほぼ同じ特性を実現しています。燃やすと大気中にCO_2が放出されますが、そのCO_2は植物が光合成で吸収したものとして、排出量ゼロでカウントされます。ブラジルや米国、インドなどではこのバイオ燃料を活用したバイオディーゼル車がすでに普及しています。

現在開発が進むe-fuelは、CO_2と水の電解で得られた水素（H_2）と炭素（C）を合成して製造されます。合成燃料の中でも「再エネ由来の水素」と「産業の排出源もしくは大気中から直接回収されたCO_2」を原料とする合成燃料をe-fuelと呼びます。

これらのCN燃料は、化石燃料と同じくエネルギー密度に優れ、貯蔵や運搬がしやすいという特徴を持っています。電動化が難しいとされる領域のカーボンニュートラルに貢献できることから、世界各地で普及／開発が進められています。

CN燃料の現状と将来展望

バイオ燃料やe-fuelの強みは、既存の燃料インフラ、エンジンの内燃機関技術を流用できることです。一方、製造コストの高さや燃料への変換で膨大なエネルギーを必要とするなど課題も残されています。また、国内でのe-fuelの製造コストは化石燃料よりも高く、海外での生産が最もコストを抑えられる見込みですが、2030年ごろに商用規模の水素サプライチェーンを構築すべく開発が進んでいます。

▶ バイオエタノール、e-fuel の課題と特徴

	カーボンニュートラル燃料	
	バイオエタノール	e-fuel
共通するメリット	●既販車14億台からCO₂を低減できる 　→ 2050年までのカーボンニュートラルに間に合う ●車載バッテリーと比較した質量エネルギー密度 → 航続距離 ●既存燃料への混合（ドロップイン）、既存インフラの活用が可能 　→ 経済合理性、即効性	
個別のメリット	・アメリカやブラジルで実用化され、広く流通	・カーボン・オフセットの実現 ・再エネ余剰電力の貯蔵・利用の実現
課題	・食物価格に左右されるため、価格変動が大きい ・トウモロコシからの糖化工程で消費エネルギーが大きい	・水素の価格低減 ・DACの消費エネルギーが大きい ・FT法の価格低減
対策・新技術	・セルロース系の活用 　→セルロースは食料競合しないが、分解酵素が高価 ・藻類の活用 　→単位あたり面積で生産効率が高い	・水素、CO精製の効率化 　→SOEC共電解＋合成 ・FT合成法の整備 　→設備を大型化することによる収率の向上
現状の生産規模	約1億キロリットル	各社の実証実験レベル
主要な生産国	・アメリカ ・ブラジル	・ヨーロッパ

出所：各種資料より矢野経済研究所作成

▶ 日本における e-fuel 価格のケーススタディ

H_2		CO_2		製造コスト			
100円/Nm³×6.34Nm³/L		5.91円/kg×5.47kg/L					
= 634円/L	+	= 32円/L	+	33円/L	= 約700円/L		国内の水素を活用し、国内で合成燃料を製造するケース
[32.9円/Nm³ + 14.65円/Nm³]×6.34Nm³/L							
= 301円/L	+	= 32円/L	+	33円/L	= 約350円/L		海外の水素を国内に輸送し、国内で合成燃料を製造するケース
32.9円/Nm³×6.34Nm³/L							
= 209円/L	+	=32円/L	+	33円/L	= 約300円/L		合成燃料を海外で製造するケース
20円/Nm³×6.34Nm³/L							
= 127円/L	+	= 32円/L	+	33円/L	= 約200円/L		今後、水素価格が20円/Nm³になったケース

※NEDO「CO₂からの液体燃料製造技術に関する開発シーズ発掘のための調査（2020.8）」の結果に基づき試算。

出所：合成燃料研究会中間報告を元に作成

Chapter2
10

コロナ禍での
サプライチェーンの混乱

新型コロナウイルスのパンデミックは、世界の自動車産業に大きな影響を与え、生産台数の抑制やサプライチェーンの混乱につながりました。コロナ禍以降も、ウクライナ侵攻などによって、自動車生産台数は増減を繰り返しています。

コロナ禍による自動車生産への影響

　新型コロナウイルスのパンデミックの影響は世界規模での減産を引き起こしました。2019年における四半期ごとの世界自動車生産台数は、約2,100〜2,200万台でしたが、経済活動の停止によって、2020年第二四半期は約1,500万台まで減少しました。

　2021年も寒波やルネサスエレクトロニクスの工場火災、台湾など半導体製造拠点での都市封鎖による影響から、車載半導体の供給は逼迫し、自動車が生産／販売できない事態が発生しました。

　2023年以降は部品供給状況の改善が見込まれていますが、世界的なインフレや金利の上昇は緩和されておらず、コロナ禍以前の水準までに回復するにはもう少し時間がかかると見られています。

コロナ禍以降の自動車生産に影響を与える出来事

　2022年のロシアによるウクライナ侵攻により、サプライチェーンに新たな混乱が発生しました。ウクライナにあるワイヤーハーネスの製造工場からの供給が滞り、ヨーロッパの自動車メーカーは減産を余儀なくされました。ロシアに対しては経済制裁が実施され、トヨタやRenaultなどが現地の自動車生産から撤退しました。また、ロシアはパラジウム、ニッケルなどの生産量が多く、戦争の長期化による影響が懸念されています。

　アメリカと中国による経済摩擦からデカップリングが進行、アメリカでは2022年にIRA法が施行され、補助金の対象となるBEVには原材料の調達先などの条件を課しました。これにより、自動車メーカーはサプライチェーンの再構築が求められ、製造コストの増加や部品供給に制限が発生し、生産に影響を及ぼすと見込まれています。

デカップリング
規制などによって、国や地域間の経済状況を連動させないようにすること

IRA法
Inflation Reduction Act、インフレ抑制法。過度なインフレ（物価の上昇）を抑制すると同時に、エネルギー安全保障や気候変動対策を迅速に進めることを目的とした法律。アメリカ本国で製造された電気自動車を支援する補助金に関する項目を含む

▶ 自動車生産台数の推移と影響与えた主な出来事

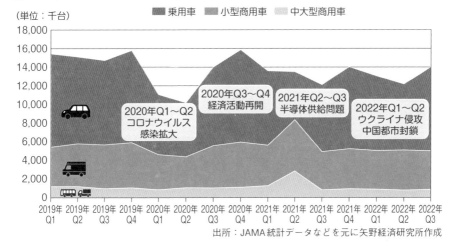

出所：JAMA統計データなどを元に矢野経済研究所作成

▶ 希少金属輸出に占めるロシアの割合

	素材	主な用途	依存度
金属	パラジウム	排ガスの触媒	生産の4割（ロシア）
	ニッケル	ステンレス鋼や電池の材料	生産の1割（ロシア）
ガス	ネオン	半導体製造のレーザー光源	生産の7割（ウクライナ）
	クリプトン		生産の8割（ロシア）
	ヘリウム	精密機器や半導体製造	約3％（ロシア）

出所：日本経済新聞の資料を元に作成

🖰 ONE POINT

世界で進む保護主義政策

世界各国ではEVシフトを機に自国産業支援のために、保護主義政策が進められています。特にEVの基幹部品である電池では中国、アメリカ、欧州がそれぞれで現地生産を促す政策を進めており、自動車メーカーは地域に合わせたサプライチェーン構築が求められています。また中国では政府の方針の元、安価なEVの生産が拡大し、輸出が増えており、一部の地域では自国の産業保護のため、関税をかける／上げる動きが始まっています。

台頭する新興BEVメーカー

自動車の電動化に向けた動きが加速し、各地で新興BEVメーカーが登場しています。エンジンという最大の参入障壁がないBEVにおいては、新興企業がシェアを拡大させています。

主な新興BEVメーカー

　主な新興BEVメーカーには、アメリカのTesla、中国のBYDがあります。BYDは元々携帯電話用バッテリー製造を手掛けていた会社で、このように異業種からの参入が相次いでいます。

　新興BEVメーカーは、既存の自動車メーカーよりも早いペースで新技術や新デザインの製品を市場に投入したり、BEVの動力であるeアクスルの外部調達を行うことで開発工数とコストを削減し、競争力を高めています。

　Teslaは、2009年に量産車を発売してから約10年で年間販売台数が100万台を超えており、一部の既存メーカーを凌駕する実績を出しています。その他にアメリカではRivian、Lucid Motor、中国では、NIOやXpengなどが新興BEVメーカーとして名を連ねています。

Rivian
2009年設立、アメリカのBEVメーカー。2021年から量産開始。Amazon向け配達用バンを10万台を受注済

競争が激化しているBEV市場

　2022年の世界BEV販売台数は約790万台で、販売台数全体に占める割合は約10％と、2019年の約2％からシェアを急激に伸ばしています。

　BEV市場には多くの新興メーカーが参入していますが、すべてのメーカーがうまくいくわけではありません。十分な生産台数を確保できないメーカーなど競争から脱落するメーカーも存在します。特に中国では自動車の高機能化・高サービス化で激しい競争が繰り広げられ、専用ラウンジやバッテリー交換式の導入などアフターサービスに力を入れるNIOなど、メーカーごとに特徴を出して生き残りを目指しています。

　PHEVとBEV販売で世界1位のBYDは、中国国外での販売に注

バッテリー交換式
ステーションにて使用済みのEVバッテリーを新しいバッテリーに交換する方式。短時間で充電が満タンになるメリットがある

▶ 主な新興EVメーカー

	Rivian R1T	Lucid Motors Lucid air	NIO ES 6	XPENG Xpeng P7	Li Auto Lixiang ONE
国	アメリカ	アメリカ	中国	中国	中国
設立年	2009年	2007年	2014年	2014年	2014年
モデル数	3モデル	1モデル	5モデル	5モデル	3モデル
販売台数 (2022年)	2.0万台	0.7万台	13.6万台	13.1万台	13.3万台
特徴	・Ford、Amazonが出資	・アストンマーティンにeアクスルなどを供給予定	・江淮汽車が製造担当 ・バッテリー交換タイプも製造	・大衆車市場中心 ・アリババなどが出資	・PHEVのみラインナップ ・バイトダンスなどが出資

出所：各社公表資料を元に作成

▶ 2022年最も販売された電気自動車　Tesla ModelY

出所：Tesla JAPAN

力しており、日本でも2023年から同社のBEVが販売されています。今後、BEVの販売を本格化させる国内自動車メーカーは、激しい生存競争を勝ち抜き、先行する海外メーカーとの競争を強いられる状況となっています。

Chapter2 12

モジュール化／標準化

複数車種やプラットフォームで互換性のある部品を使用することで、各社は生産プロセスの合理化、コスト削減、柔軟性の向上を目指しています。

モジュール化／標準化とは

モジュール化とは、車両を構成する部品をエンジンやコクピット、ボディなど機能ごとにブロック化（モジュール）し、これらを組み合わせることで車両の設計／製造を行う手法のことです。組み合わせによってさまざまなモデルへの流用が可能となり、開発／生産コストの低減、サプライチェーンの簡素化、部品数の削減などのメリットがあります。

また、部品の仕様や構造、形式を統一する標準化は、コストの低減、在庫管理の簡素化、メンテナンスの容易さというメリットがあります。

プラットフォーム戦略によって進むモジュール化と標準化

プラットフォーム
自動車のシャーシ、コンポーネンツなどの骨格部分のこと。車台だけでなく、パワートレーンユニットやサスペンション、ステアリングなども含まれる

TNGA
Toyota New Global
Architecture

現在の自動車業界では、モジュールを組み合わせた**プラットフォーム**を採用し、複数モデルを用意するのが一般的です。トヨタ自動車では、「カローラ」「カムリ」「RAV4」など車種で部品の共有化が可能なTNGAプラットフォームを開発しています。

また、トヨタ「86」とスバル「BR-Z」や、日産とRenaultのCMFプラットフォームのように、自動車メーカー間でのプラットフォームを共有化も進んでいます。

自動車部品においても、「走る」力を生み出すモーター、モーターの回転数などを調整するインバータを一体化したeアクスルを部品サプライヤーが中心となって開発しています。

eアクスルは、モーター、インバータなどを小型車から大型車まで対応可能にする柔軟な設計を実現できます。日本ではBluE Nexusやニデック、海外ではBosch、ZFなどがeアクスルを手掛けています。

▶ モジュール化のイメージ（日産CMFプラットフォーム）

COMMON MODULE FAMILY（CMF）：4+1 BIG MODULES

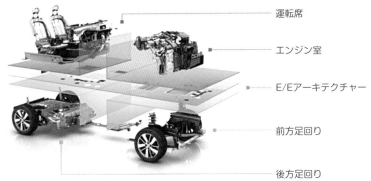

- 運転席
- エンジン室
- E/Eアーキテクチャー
- 前方足回り
- 後方足回り

出所：Gazooの図を元に作成

▶ eアクスルのラインアップ

製品名	E-Axle (Ni50Ex)	E-Axle (Ni70Ex)	E-Axle (Ni100Ex)	E-Axle (Ni150Ex)	E-Axle (Ni200Ex)
出力	50kW	70kW	100kW	150kW	200kW
トルク	1,600Nm	1,600Nm	2,400Nm	3,900Nm	4,200Nm
重量	TBD	48.0kg	54.5kg	87.0kg	95.0kg
製品写真					
搭載車両セグメント	Mini/A	A/B	B/C	C/D	D/E

出所：Nidec

👍 ONE POINT
より重要度を増すメガサプライヤー

部品のモジュール化が進むと周辺部品を含めた開発が必要となるため、高い技術力と多額の研究開発費が必要となります。そのため、十分な資金と人的資源を持ったメガサプライヤーによる受注および開発が増え、今後ますます、売り上げを伸ばし、存在感を増していくと予想されています。

祝日がない？自動車業界の働き方

「トヨタカレンダー」という言葉を聞いたことはあるでしょうか？

これはトヨタの稼働日カレンダーを指します。祝日が休みではなく、その分、年末年始、GW、お盆休暇が長い（9〜11連休）休暇になっています。トヨタ以外の自動車メーカーも、若干の違いはあるものの、おおよそ同様のカレンダーを採用しており、部品メーカーもそれに応じた勤務体制を敷いています。

なぜ祝日も勤務日にしているのでしょうか。一番のメリットは、まとめて休みを取った方がランニングコストが安くなるということです。仮に週の半ばに祝日があり工場を止めた場合、停止や再開にかかる時間、操業コストなどが増えます。平日の場合は、週5日間連続して操業することがコスト的には最も効率的になります。また自動車業界では多くの場合、昼勤、夜勤の二直で操業を行っており、勤務回数が均等になるように調整がしやすいというメリットもあります。

ただし、すべての部門が長期休暇をとれるかというと、そんなことは

ありません。工場の稼働が停止している休暇期間は設備のメンテナンス、改造にもってこいのタイミングです。そのため、設備の保全や更新を担う生産技術職の担当者は、この休暇期間に出勤し、工事監督を担う場合が多くあります（その分、代休をとって休みを消化します）。

祝日のない分、休暇の長い自動車業界のカレンダーは、働く人にとっても良し悪しがあります。予定を立てやすい一方、世間の一般的な休みと重なる期間でもあるため、旅行金額が割高、かつどこに行っても人が多いというデメリットもあります。

平日週5日の稼働に慣れきってしまっているために、通勤時に車が少ないことや得意先に電話をかけて、初めて祝日だったと気づくこともしばしばです。祝日で3連休の月曜の朝には、SNSで自動車業界で働く人の悲哀が叫ばれることもありますが、全体としては年間休日は多く、また組合が強いため、有給休暇も取りやすく、自動車業界は「働きやすい職場環境」にあると思います。

第3章

代表的な自動車部品

1台につき約3万点の部品が使用される自動車。使わ
れる材料は金属から樹脂、電子基盤まで多岐に渡りま
す。また、自動車メーカーに直接納入する一次サプラ
イヤー（Tier1）だけでなく、二次、三次サプライヤ
ー、材料メーカーなど多くの企業が部品の製造に携わ
っています。この章では、自動車を構成する部品とそ
の機能、代表的なサプライヤーや技術動向について解
説します。

Chapter3 01

自動車を構成するパーツ

「走る」「止まる」「曲がる」という基本動作を支える自動車部品は、自動車1台あたり約2～3万点の部品で構成されています。ここでは自動車を構成する部品群について、理解を深めていきます。

自動車を構成するパーツ

自動車は基本動作を支える動力源（エンジン、モーター）、動力を伝える駆動系（トランスミッション）、「止まる」「曲がる」をコントロールするシャシ系（ブレーキ、ステアリング）、車両を支えるボディ・外装品・内装品、エアバックなどの安全装置で構成されます。

日本国内には自動車部品メーカーが約6,000社近く存在し、その中でも売上高で世界の上位に位置するデンソーやアイシンが代表的なサプライヤーとして挙げられます。

従来の内燃機関車を構成する部品点数は約2～3万点といわれています。一方、普及の機運が高まる電気自動車は部品の構成が大きく異なるため、約1万～1.5万点と部品点数が大きく削減される見込みです。

多岐に渡るパーツ

自動車部品は、鉄やアルミニウムなどの金属部品からプラスチックやガラス、ゴム、電子機器など非常に多岐に渡ります。多くの部品は分業・専門化され、材料メーカーから複数のメーカーでの加工を経て、完成車メーカーに納入された後は車両に組付けられます。サプライチェーンの裾野はとても広く、サプライヤーが5次、6次にまで渡ることも多い点が特徴です。

また同じ車であっても、グレードや駆動方式によって使用される部品は異なります。完成車に使用される部品はBOMで管理されます。BOMはどの車にどの部品が使用され、構成されているかを示すデータベースです。車両の生産計画に基づき、サプライヤーに内示の発信、発注が行われます。

自動車部品メーカが約6,000社
自動車部品製造を主業とする企業数。自動車部品以外を手掛ける企業も多くあり、実際に自動車部品に携わるメーカーはトヨタ関連だけで6万社を超える

サプライチェーン
原材料の調達や製造、物流管理などの一連の流れのこと

BOM
Bill Of Materialsの略で部品構成表のこと。部品の発注だけでなく、原価計算などにも使用される

▶ 自動車を構成する主なパーツ

出所：Gazoo

▶ 内燃機関の自動車と電気自動車の使用部品の違い

ガソリン車の構造

エンジン
・シリンダーヘッド
・ピストン
・カムシャフト
・ロッカーアーム
・吸排気バルブ
・クランクシャフト
・冷却ファン
etc…

トランスミッション
・オートマチックトランスミッション（AT）とトルクコンバーター
・マニュアルトランスミッション（MT）とクラッチ
・無段変速機とトルクコンバーター

排気系部品
・エキゾーストマニホールド
・メインマフラー
・フロントパイプ
・センターパイプ
・ターボチャージャー
etc…

吸気系部品
・エアクリーナー
・スロットルバルブ
・レゾネーター
etc…

燃料系部品
・燃料タンク
・フィルター
・インジェクター
etc…

●●系部品
・オイルポンプ
・ストレーナー
・オイルクーラー
etc…

電気自動車の構造

| 電動ウォーターポンプ | 高電圧ワイヤハーネス | インバーター | モーター |

| エアコン用電動コンプレッサー | DC/DC コンバーター | 二次電池（駆動用） |

| 車載充電器 | 電動ブレーキ |

ガソリン車と電気自動車では使用する部品が異なる

出所：All Aboutの図を元に作成

Chapter3
02
エンジン

エンジンは自動車を動かす動力源として、ガソリンや軽油を燃焼させ、運動エネルギーに変える内燃機関と呼ばれる主要部品です。近年では排気ガス／CO_2排出規制を受け、ハイブリッド車や水素活用など新たな開発が進められています。

自動車の「肝」であるエンジン

三大要素
自動車の基本動作である、「走る」「曲がる」「止まる」のこと

自動車の三大要素のうち、「走る」を支える主な部品がエンジンです。内燃機関では、ピストンを往復運動させることで動力を生み出す、レシプロエンジンが主流です。自動車メーカー各社は高効率化（トルクや燃費の向上）、低エミッション化（排気ガスやCO_2排出の削減）を目指して大量のリソースをつぎ込み、開発を進めてきました。その解決には高い技術力が求められるため、自動車生産の大きな参入障壁となっています。

代替燃料
天然ガス、エタノール、水素など石油や石炭の代わりとなる燃料資源のこと

エンジンの多くは、完成車メーカー内で自社生産がされていますが、ヤマハ発動機やCumminsなどのサプライヤーがエンジンを開発して供給する場合もあります。

エンジンはまだ終わらない

リーンバーンエンジン
リーンバーンは希薄燃焼を意味し、通常のエンジンよりも少ないガソリンの量で運動エネルギーを生み出すエンジンのこと。低コストで大きな燃費改善が見込める

環境意識の高まりから、排気ガスやCO_2の発生が避けられないエンジン開発に対する逆風が吹いています。

しかし、エンジンはまだ発展の余地があり、マツダのリーンバーンエンジン、日産の可変圧縮比エンジンなど、CO_2削減や燃費向上を目指す多種多様なエンジン開発が現在も続けられています。

可変圧縮比エンジン
燃費とエンジン出力を左右する圧縮比というパラメータを自在に切り替えられるエンジン、通常両立が難しいとされる低燃費で高出力という性能を実現できる

その中でも水素エンジンに注目が集まっています。水素エンジンは代替燃料に水素を使用し、空気と併せて燃やすことで運動エネルギーを生み出します。

現状ではエネルギー効率が低い、水素ステーションの数が少ない、コストが高いなどの普及を阻む課題は多数あります。しかし、トラックの脱炭素化にも貢献できるため、欧州や中国でも水素エンジンの開発に乗り出しています。

ガソリンエンジンの仕組み

① 吸入

吸気バルブが開かれてピストンが下がることで、内部の圧力が下がり空気を吸入する

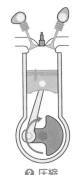

② 圧縮

吸気バルブが閉じ、ピストンが上昇することで内部の混合気が圧縮されて温度が上昇する

③ 燃焼・膨張

点火プラグによって着火、混合気が燃焼する。発生した熱によって燃焼ガスが膨張しピストンを押し下げる

④ 排気

排気バルブが開かれて、燃焼ガスが排出される

出所：車の大辞典の図を元に作成

世界初の水素エンジンを積んだトヨタのレーシングカー

出所：トヨタタイムズ

Chapter3 03

モーター

モーターは、電気エネルギーを運動エネルギーに変換する、車に欠かせない重要な部品です。電気自動車やハイブリッド車においては「走る」動力源となる他、車両のさまざまな機能をアシストする役割を担っています。近年は、環境性能、安全性、快適性向上を目的に車での搭載数が増加傾向にあります。

電気自動車の「走る」を担う駆動モーター

　　モーターは電気の力を運動エネルギーに変換する原動機で、電動機とも呼ばれます。電気自動車ではエンジンの代わりに「走る」機能を駆動モーターが担い、ハイブリッド車ではエンジンとモーターの2種類の動力源を搭載しています。代表的なサプライヤーには、アイシン、Boschなどが挙げられます。

　　駆動モーターは電動化に伴い、今後市場が大きく成長していくと見られ、新規参入が相次ぐなど競争が激化しています。独立系サプライヤーのNidecは、中国の電気自動車を中心に近年搭載台数を伸ばしています。また、メーカー各社は電動車における「走る」ために必要な主要部品（モーター、**インバーター**、**減速機**など）を一体化したeアクスルの開発に力を入れています。

車両のさまざまな機能をアシストする「モーター」

　　モーターは車両のさまざまな機能をアシストする部品として、駆動モーター以外にも多く使われています。1台当たり100個を超えるモーターが搭載される車両もあり、今後も環境性能、安全性／快適性向上などを目的に増加が見込まれます。代表的な例としては、車の中で使う電気を生み出す**オルターネーター**、ステアリングの動きをアシストするモーターなどがあり、　代表的なサプライヤーとしては、マブチモーター、デンソー、Nidec（日本電産）などが挙げられ、世界シェアでも国内企業が上位を占めています。各サプライヤーは、小型軽量化、低コスト化に向けて、磁石の素材や形状を工夫するなどの改良を進めています。

インバーター
電圧や周波数を変換できる装置で、電気自動車で使われるモーターの速度調整を行う装置のこと

減速機
モーターの回転数を適正な回転数まで下げる装置で、自動車のトルクを生み出すために必要な部品のこと

オルターネーター
エンジンの動力を活用して発電するモーター。電力はバッテリーに蓄えられ、エンジンの始動やウィンドウを開閉する動力として使用される

▶ 車に搭載されている主なモーター

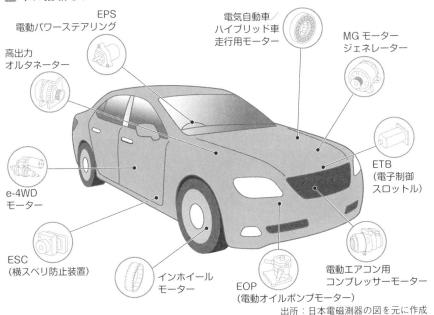

EPS
電動パワーステアリング

電気自動車／
ハイブリッド車
走行用モーター

MG モーター
ジェネレーター

高出力
オルタネーター

ETB
(電子制御
スロットル)

e-4WD
モーター

ESC
(横スベリ防止装置)

インホイール
モーター

EOP
(電動オイルポンプモーター)

電動エアコン用
コンプレッサーモーター

出所：日本電磁測器の図を元に作成

▶ eアクスルの構造

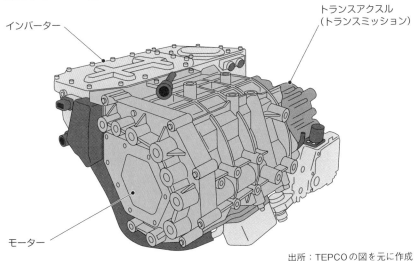

インバーター

トランスアクスル
(トランスミッション)

モーター

出所：TEPCO の図を元に作成

Chapter3 04

パワーコントロールユニット

パワーコントロールユニット（PCU）は、電力をマネジメントする部品でモーター、バッテリーと並んで電動車において重要な部品となっています。PCUの性能向上は航続距離や充電時間の短縮などに影響するため、高電圧化を施すなどさまざまな開発を進められています。

パワーコントロールユニットとは

パワーコントロールユニット（PCU）は、インバーターと昇圧用のコンバーターで構成されます。インバーターは、バッテリーの直流を交流に変換し、周波数や電圧を制御する部品でモーターの緻密な調整が可能となります。コンバーターは、バッテリーの電圧変化を防ぎモーターの出力を一定にする役割を担っています。PCUの代表的なサプライヤーとして三菱電機、デンソーなどが挙げられます。

各社はPCUの高性能化（高電圧化／高出力密度）を目指し、従来の400V耐圧PCUから800Vに高電圧化する開発を進めています。800V耐圧のインバーターは小型軽量化、急速充電対応が可能となり、BEVの性能向上に大きく貢献します。現在、800V耐圧インバーターはBEVの高級モデルを中心に採用が進んでおり、国内メーカーでは日立Astemoが欧米の自動車メーカーに納入するなど普及が進みつつあります。

インバーターを支えるパワー半導体の進化

現在インバーターの半導体にはシリコン（Si）が素材として主に使用されていますが、シリコンカーバイド（SiC）を使用した耐熱性に優れ、800Vと高い電圧を扱える次世代パワー半導体の開発も進んでいます。

サプライヤーとしては、Infineonなど外資系企業が高いシェアを有していますが、国内メーカーではロームや三菱電機も存在感を示しています。SiCを採用したインバーターはTeslaが世界で初めて採用し、欧米メーカーや商用車でも採用例が増加しており、コストの低下とともに今後は普及が進んでいくとみられます。

周波数
交流が1秒間で何回向きを変えるかという数で単位はHz（ヘルツ）。周波数を適切に制御すれば、モーターの回転数を自由自在に制御できる

電圧
電気を押し出す力のことで単位はV（ボルト）。電圧が高ければ、流れる電気（電流）を少なくでき、ワイヤーハーネスの削減など車両の軽量化にもつながる

SiC
シリコンに炭素を加えた素材で、シリコンの限界を超える材料として注目されている

パワー半導体
電力の供給や変換を行う半導体のこと、鉄道や太陽光発電などでも使用される

▶ インバーターの仕組み

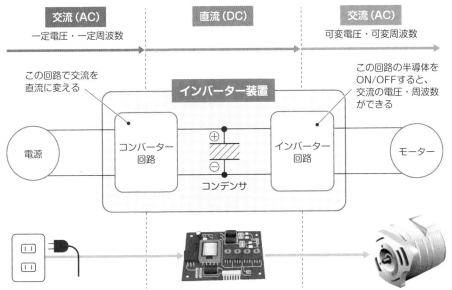

交流 (AC)	直流 (DC)	交流 (AC)
一定電圧・一定周波数		可変電圧・可変周波数

この回路で交流を直流に変える

この回路の半導体をON/OFFすると、交流の電圧・周波数ができる

インバーター装置

電源 → コンバーター回路 → ⊕ / ⊖ コンデンサ → インバーター回路 → モーター

出所：松定プレシジョンの図を元に作成

▶ 次世代パワー半導体が活躍する領域

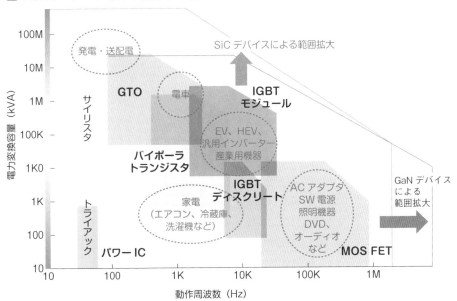

電力変換容量 (kVA)

- 100M
- 10M
- 1M
- 100K
- 1K0
- 1K
- 100
- 10

発電・送配電

SiC デバイスによる範囲拡大

サイリスタ

GTO

電車

IGBT モジュール

EV、HEV、汎用インバーター産業用機器

バイポーラトランジスタ

IGBT ディスクリート

家電（エアコン、冷蔵庫、洗濯機など）

AC アダプタ SW 電源 照明機器 DVD、オーディオ など

GaN デバイスによる範囲拡大

トライアック

パワーIC

MOS FET

動作周波数 (Hz)

10 　100 　1K 　10K 　100K 　1M

出所：JEITA の図を元に作成

パワートレイン

パワートレインは、エンジンやモーターの運動エネルギーをトランスミッション、クラッチ、プロペラシャフトなどを介してタイヤに伝える駆動系部品全体を指します。自動車が発進／前後退するためには欠かせず、燃費にも影響する重要な部品です。

パワートレインの役割

パワートレインには、局面ごとでエンジンの最適な力を引き出すために回転数やトルクを調整するトランスミッション（変速機とも呼ばれる）や、左右のタイヤの回転数を調整し、スムーズなカーブ走行を実現するディファレンシャルギア、FR駆動の自動車でエンジン駆動力を後方に伝達するプロペラシャフト、駆動力を駆動輪に伝えるドライブシャフトなどがあります。

変速機はエンジンとセットで搭載され、マニュアル（MT）、オートマチック（AT）という呼ばれる方式に大別できます。代表的なサプライヤーとしてジヤトコやアイシンが挙げられます。

採用される方式は地域によって特徴があり、日本では高い燃費性能と滑らかな加速が特徴なステップATや、軽自動車など小型車での需要が高いCVTと呼ばれる機構が多く採用されています。その他には、トラックなどで採用されるMTの燃費性能とATの操作性を組み合わせたAMT、欧州車を中心に採用される変速がスムーズで鋭い加速を実現できるDCTなどがあります。

トランスミッションの採用はまだまだ続く

BEVではパワートレインの構成は大きく変容します。これまでBEVでは変速機を搭載していないケースが多く、最高速や高速走行時の効率向上を目指す目的で高級モデルに限定して採用されていました。

しかし、変速機を搭載することで、モーターの小型軽量化やバッテリーの搭載量削減を見込めることから、スズキが開発に乗り出しています。BEV用変速機の開発はアイシン、日本精工、ジヤトコなども進めており、BoschがBEV用CVTを発表するなど、変速機は電動自動車においても技術開発が進み、引き続き重要な部品になると見られます。

CVT（無段変速機）
無段変速機。オートマチックの一種でベルトやプーリーで変速する。低コストというメリットもあるが、大出力エンジンへの対応が困難

パワートレインの構成
エンジン車では、トランスミッションなどのパワートレインがクルマの発進／前後進の機能を担っているが、電気自動車ではモーターの制御や搭載数でこれらの機能を担えるため、異なった構成となる

▶ パワートレインの仕組み（エンジン車）

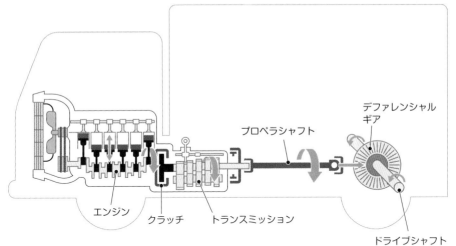

デファレンシャルギア

プロペラシャフト

エンジン　クラッチ　トランスミッション

ドライブシャフト

出所：軽トラック情報館の図を元に作成

▶ トランスミッションごとの特徴

分類	マニュアル（MT）	オートマチック（AT）			
タイプ	MT	ステップ AT	AMT	DCT	CVT
イメージ					
変速ショック	ドライバー次第	○	▲	○	○
変速速度	○	○	▲	◎	○
伝達効率	◎	○	◎	○	▲
コスト	◎	○	○	▲	○
重量	◎	▲	◎	▲	▲

◎＝優、○＝良、▲＝課題あり

出所：各種資料を元に矢野経済研究所作成

バッテリー

バッテリーはエンジンの始動、ライトなどの照明、カーナビ、ワイパーなど車両のさまざまな電装品に電力を供給する役割を持ちます。近年では、電気自動車の普及に伴い、走行用の電力を供給する駆動バッテリーへの投資が盛んになるなど、注目度が非常に高い部品です。

駆動バッテリー／補機バッテリーとは？

車載バッテリーは駆動用と補機用の2種類に分けることができます。駆動バッテリーはHEVやBEVなどに搭載され、走行時に必要な電力を供給します。HEVは従来、ニッケル水素バッテリー（NiMH）が主流でしたが、近年はリチウムイオンバッテリー（LiB）の採用も進んでいます。

補機バッテリーはウィンドウ開閉などに使われ、現在は鉛電池が主に使用されています。鉛電池の代表的なサプライヤーはGSユアサなどが挙げられます。ただし欧州のELV指令により、2022年1月から新型車への鉛電池の搭載が禁止になったため、今後は先進国を中心にLiBなどへ切り替わっていくとみられます。

電気自動車における最重要部品、中国・韓国勢が優勢

駆動バッテリーはBEVが普及するうえで欠かせない部品で、世界各国で開発や設備への投資が加速しています。背景にはカーボンニュートラルに向けた取り組みとしてBEVが注目されていることがあります。各国で普及目標が発表されるなど、販売台数の増加に伴い、駆動バッテリーの需要も高まっていくとみられます。

LiBの代表的なサプライヤーは中国のCATL、韓国のLGESなどが挙げられ、パナソニックも存在感を示しています。LiBはコストが高いという課題があり、航続距離確保のため、搭載容量を増やすと車両価格が高価になるなど大きく影響します。

サプライヤーによっては安価なLFPバッテリーの供給を進めており、CTP技術の活用で航続距離の伸長を実現しています。将来的には、全固体電池などの次世代バッテリーも問題解決に貢献すると期待されています。

ELV指令
廃棄自動車が環境に与える負荷を低減するためのEUによる指令。自動車からの廃棄物が出ることを防止、削減、リサイクルを促すことを目的としている

LFPバッテリー
リン酸鉄LiBのこと、低エネルギー密度だが発火の危険性が低く、コバルトを使用する従来のLiBより安価という特徴がある

CTP
セル・トゥー・パック（Cell to Pack）と呼ばれる。バッテリーパック内部の構造を改善する技術で、軽量化とエネルギー密度改善につながり、航続距離の伸長が期待できる

▶ バッテリーごとの役割

車が走るための
エネルギー

補機用
バッテリー

オーディオなどの
一般電装品を動かす
ためのエネルギー

出所：EV DAYSの図を元に作成

▶ 補機バッテリーの電力供給先

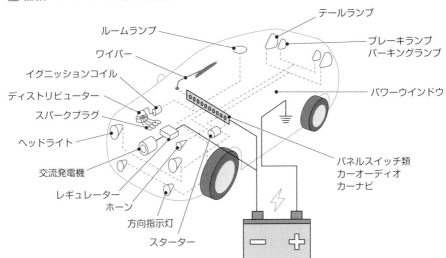

テールランプ
ルームランプ
ブレーキランプ
パーキングランプ
ワイパー
イグニッションコイル
ディストリビューター
パワーウインドウ
スパークプラグ
ヘッドライト
パネルスイッチ類
カーオーディオ
カーナビ
交流発電機
レギュレーター
ホーン
方向指示灯
スターター

出所：古河電工の図を元に作成

Chapter3
07

ブレーキ／ステアリング／サスペンション

ブレーキ／ステアリング／サスペンションは、クルマの基本機能である「曲がる」「止まる」という走行時の快適性や安全性に関わる重要な部品です。近年では、自動運転への対応やさらなる安全性の向上を目的に開発が進められ、部品の電動化が進んでいます。

クルマの「曲がる」「止まる」

ステアバイワイヤ
ハンドルの操作を電気的な信号でタイヤに伝えるステアリングシステム。運転負荷の軽減や安全性の向上が期待されている

電動油圧ブレーキ
ブレーキに必要な油圧をモーターで生み出すシステム。ハイブリッド車を中心に搭載が開始されたが、ブレーキの反応速度が高まるため、安全性の向上を目的にガソリン車にも搭載が進む

ブレーキ／ステアリング／サスペンションはクルマの「曲がる」「止まる」など車両の特性を決める部品で、走行安全性／快適性が左右されます。ブレーキはペダルを踏むことで発生する摩擦を用いて車両を停止する部品、ステアリングはハンドルを回転させる力で車の方向を変更する部品、サスペンションは道路の凸凹に対応し、乗り心地を安定させる部品です。

ブレーキやサスペンションはアイシン、ステアリングはジェイテクトが代表的なサプライヤーとして挙げられます。サプライヤー各社は、小型軽量化や安全性向上を目標に開発を行っており、ステアバイワイヤや電動油圧ブレーキなど、電動化が今後進められています。

安全性向上を目的にソフトウェアによる統合制御の重要度が増す

NCAP
New Car Assessment Program、交通事故削減を目的とした車両の安全性を評価するプログラム

ブレーキ／ステアリング／サスペンションは、自動運転への対応、安全性向上を目的にソフトウェアによってそれらを連携してコントロールする、統合制御の開発が進んでいます。

統合制御では、急ブレーキに連動して、ステアリングやサスペンションが自動で姿勢を制御し、安定した車両の停止ができるなど、安全性のさらなる向上が期待できます。NCAPで高評価を得ることが販売台数に大きく影響するため、各自動車メーカーは積極的に統合制御の採用を進めています。

統合制御は、BoschやZFなど外資系サプライヤーが先行している領域ですが、アイシン、デンソー、ジェイテクト、アドヴィックスなどによる合弁会社J-QuAD DYNAMICSが立ち上がるなど、日系サプライヤーも市場のトレンドに追随しています。

▶ブレーキ／ステアリング／サスペンションの搭載位置

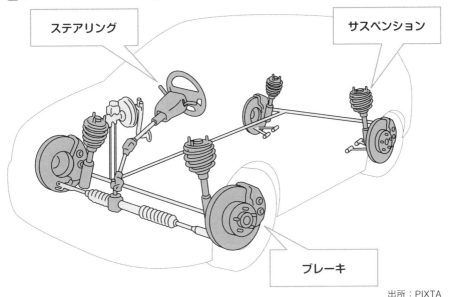

出所：PIXTA

▶EURO NCAP 車両ごとの標準安全装備の評価

出所：EURO NCAP

👆 ONE POINT

NCAPの安全スコア

NCAPは、Adult Occupant（成人乗員保護）、Child Occupant（児童乗員保護）、Vulnerable Road Users（交通弱者保護）、Safety Assist（安全支援装備）の4点で試験され、ポイントが高いほど安全性能が高く、5段階評価で車両の安全スコアを公表する。

Chapter3 08

ボディ

ボディは、自動車の中で最も重量が重く、自動車のサイズ、デザイン、乗員の安全性／快適性や燃費を左右する空力性能など車両の特性を決める部品となります。近年では、軽量化を図るための新素材採用、効率化を図る製造手法にも注目が集まります。

クルマの特性を決めるボディ

クルマの構造は、主にモノコックボディとフレームボディの2種類に分けられます。自動車全体において主流であるモノコックボディは、ボディとシャシーが一体化しており、軽量かつ車内スペースを多く確保できるという特徴があります。

フレームボディではラダーフレームが多く採用され、ハシゴ状のフレームの上にエンジンなど主要な部品を装着する構造になっています。重量は重くなりますが、頑丈で悪路の走破性が高いという特徴を有しており、オフロードSUVなどに採用されています。

ボディ素材には鉄が主に使用されていますが、軽量化を目的に一部にアルミを採用する場合もあります。ボディは完成車メーカーで自社生産される他、サプライヤーからも納入されており、代表的なサプライヤーとしてフタバ産業やプレス工業が挙げられます。

Teslaでは、ボディ部品の製造にギガプレスという手法を用い、製造工程の効率化、部品点数の大幅削減を実現しており、同社の高い利益率を支える要因の一つとなっています。

ボディの軽量化につながるCFRPの採用が緩やかに拡大

ボディの軽量化は、燃費／安全性の向上というメリットがあるため、炭素繊維強化プラスチック（CFRP）という複合材料の活用に注目が集まっています。BMWがCFRPをボディ全面的に適用した電気自動車「i3」を投入し、スポーツカーなどへの適用が一般的であった市場に大きなインパクトを与えました。直近ではトヨタ「プリウス PHV」の一部にCFRPを採用し、他社もCFRP製の部品を搭載した車種を徐々に増やしています。

フレームボディ
ラダーフレームのほかにバックボーン型やプラットフォーム型などがあり、電気自動車にはプラットフォーム型の採用が進んでいる

CFRP
炭素繊維を加えた樹脂のことで、軽さ、耐久性、腐食しないという特徴を有しており、自動車、建築、産業機器などで採用が進んでいる

PAN系炭素繊維
原料にポリアクリロニトリルを用いる炭素繊維、非常に高い強度（鉄鋼の約10倍）が特長

▶ モノコック／ラダーフレームの構造

ボディの基本構造

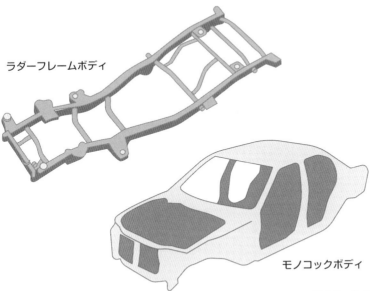

ラダーフレームボディ

モノコックボディ

出所：Cliccarの図を元に作成

▶ 自動車におけるCFRPの採用例

トランクリッド

座席

リアスポイラー

フード

モノコック

出所：TORAYの図を元に作成

Chapter3
09

外装品／内装品

自動車の外装品にはドア、ウィンドウ、ライト類、内装品にはシート、インストゥルメンタルパネルなどが含まれます。ユーザーの目に触れる製品が多いことから安全性や機能性だけでなく、デザイン性の確保が必要となり、ドレスアップを目的とした交換部品も多く作られています。

自動車の外装品／内装品に求められる役割

外装品には、乗降のしやすさ、安全構造、デザイン性が求められるドア、車内の静穏性や視認性、快適性を左右するウィンドウ、夜間や悪天候時の視界確保に重要なライト類があります。内装品には、疲労軽減、衝撃から乗員を守るシート／シートベルト、ドライバーに速度や燃料の残量などを知らせるインストゥルメンタルパネルがあります。

自動車の外装品／内装品は、大手から中小企業に至るまで参入企業が多いことが特徴です。代表的なサプライヤーとしてトヨタ紡織、AGCなどが挙げられます。外装品／内装品の一部はコモディティ化していることから、利益率の確保が難しくなっている分野でもあります。一方で、バンパーやスポイラーのように空力の改善だけでなく、ドレスアップ目的でのニーズも高く利益率が確保しやすい交換部品もあります。

外装品／内装品の高機能化が競争の軸に

自動車の外装品／内装品は、安全性の向上、新興国メーカーの低価格製品との差別化を目的に高機能製品の開発が進んでいます。ウィンドウは、車内での快適性が車両の価値向上につながるため、断熱、プライバシー確保、UVカット、遮音など機能ガラスの開発が進んでいます。ドアミラーは、小型カメラを採用する製品を東海理化やBoschなどが開発しています。小型軽量化、**空力特性**の改善、斜め前方の視界確保など車両の安全性能と燃費向上の両立が可能な技術で、一部モデルで採用されています。また、ライトは**AFS**と呼ばれるカーブや交差点でのハンドル操作と連動して進行方向を照らす視界支援技術の搭載も進んでいます。

空力特性
走行中の自動車が空気の流れから受けるさまざまな影響のこと。これを改善することで、車両の安定性、燃費向上が期待できる

AFS
Adaptive Front-Lighting System

▶ 自動車の外装品と内装品

ルーフ　ドアミラー　フロントガラス
フロントワイパー
ボンネット
ヘッドランプ
リヤフェンダー
リヤドア
ボディサイドヒル
フロントドア
フロントフェンダー　タイヤ　ホイール
フロントバンパー
フロントグリル

ドアミラー
リヤガラス
リヤワイパー
テールランプ
バックドア
リアバンパー
フロントドア
ボディサイドヒル
リヤドア　リヤフェンダー

画像出所：スバル

▶ AFS 搭載／非搭載の比較

歩行者

AFS 非装着車

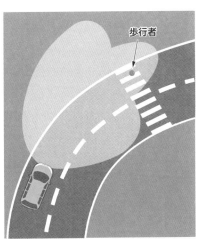

歩行者

AFS 装着車

出所：マツダの図を元に作成

Chapter3

10

タイヤ

タイヤは自動車の「走る／曲がる／止まる」といった基本的な走行性能に大きく左右するほか、車体の重さを支えたり、悪路走行時には衝撃を吸収したりする重要な役割も担っています。近年は、環境配慮や自動車ユーザーの利便性向上の観点から、タイヤの特徴や機能が進化しています。

さまざまな路面状況に適応した設計

　自動車は、タイヤと路面との間に生じる摩擦力が進行方向への駆動力（進む力）を生み出すことで前進します。つまり、タイヤと路面との接地面が広いほど駆動力は大きくなります。

　スピードを最優先するレーシングカーのタイヤを除き、一般的な自動車用のタイヤには、雨天走行時に摩擦力を低減させる原因となる水を排出するための溝が彫られています。この溝の形をトレッドパターンと呼び、トレッドパターンごとに異なる特徴を持っています。

　また、冬季には圧雪／積雪路面で使用されるため、夏用タイヤと比較して撥水性が高く、低温度でも柔軟性を保持できるスタッドレスタイヤが活躍します。なお、使用季節を問わないオールシーズンタイヤも販売されています。

進化するタイヤの商品・サービス

　電気自動車では大容量のバッテリーを搭載することから、ガソリン車よりも車体重量が重くなります。また、エンジン音が発生しなくなるため、走行時の路面からのタイヤ音が直接的に感じられるようになるため、メーカー各社は耐摩耗性や静粛性を高めて電気自動車に最適な商品開発に取り組んでいます。

　また、タイヤの空気圧を適切に維持することは、車両の燃費・電費の向上、タイヤの長寿命化などに繋がります。このほか、タイヤ空気圧監視システム TPMS などのサービスも展開され、付加価値を高めています。主な国内タイヤメーカーとしてブリヂストン、横浜ゴム、住友ゴム、TOYO TIRE などが挙げられ、世界市場においてもこれらのメーカーが大きなシェアを占めています。

TPMS
タイヤに空気圧センサーを取り付け、異常を感知した際にドライバーに警告する監視システム

▶ トレッドパターンの種類

リブ型	ラグ型	リブラグ型	ブロック型
・操縦安定性が良い ・転がり抵抗が小さい ・低騒音 ・排水性が高い ・横滑りしにくい	・駆動力、制動力、けん引力が高い ・耐カット性が高い	・操縦安定性が良い ・横滑りしにくい ・駆動力、制動力が高い	・雪路、泥ねい地の操縦性、安定性が高い

出所：ブリヂストン資料を元に矢野経済研究所作成

▶ 世界のタイヤ販売（売上高ベース）における日本企業のシェア（2021年）

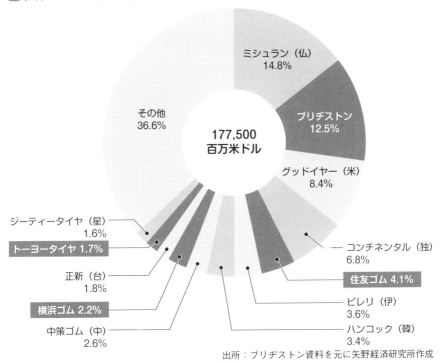

その他
36.6%

ミシュラン（仏）
14.8%

ブリヂストン
12.5%

177,500
百万米ドル

グッドイヤー（米）
8.4%

コンチネンタル（独）
6.8%

住友ゴム 4.1%

ピレリ（伊）
3.6%

ハンコック（韓）
3.4%

中策ゴム（中）
2.6%

横浜ゴム 2.2%

正新（台）
1.8%

トーヨータイヤ 1.7%

ジーティータイヤ（星）
1.6%

出所：ブリヂストン資料を元に矢野経済研究所作成

Chapter3 **11**

車内の空調を調整する部品

冷却装置／カーエアコン

冷却装置は、あらゆる状況においてエンジンやモーターなどを適切な温度に保つよう維持する装置です。車室内の快適性だけでなく、電気自動車の航続距離にも影響するエアコンやヒーターも技術開発が進んでいる領域です。

自動車における冷却装置の役割

エンジンの燃焼室内の温度は2000℃以上にもなるといわれており、この熱が過度に部品に伝わるとオーバーヒートを起こし、エンジンの故障につながります。冷却装置は、**ウォーターポンプ**、**ラジエーター**、冷却ファンなどで構成され、エンジン内部を適切に冷却することで長寿命化、性能維持に貢献します。

冷却装置の代表的なサプライヤーとしてデンソー、アイシンなどが挙げられます。電気自動車で搭載されるモーターやバッテリーも故障防止・性能向上という観点から冷却が重要な要素となっています。どちらも冷却液を用いる水冷タイプが主流ですが、モーターでは潤滑油でモーター内部を直接冷却する油冷方式、バッテリーはフロンガスなどで冷却する冷媒方式が開発されるなど、効率的な冷却方法が模索されています。

車内の快適性を左右するカーエアコン

車内の快適性に影響するカーエアコンはコンプレッサー、**コンデンサー**などで構成されます。エンジンルームで部品の間をエアコンガス（フロンなどの冷媒）が循環して、空気を冷却し、作り出した風を車内に送り込み、冷房機能を使用できます。特に重要な部品のコンプレッサーは従来エンジンの動力を用いて稼働していましたが、電気自動車はエンジンがないため、電動化が進んでいます。

代表的なサプライヤーとして豊田自動織機、サンデンが挙げられます。暖房ではPTCヒーター方式が主に採用されていますが、消費電力が大きいため、ヒートポンプ式と組み合わせたモデルが増加傾向にあり、国内企業ではデンソーが先行しています。

ラジエーター
エンジン用の冷却水を外気で冷却する役割を担う

ウォーターポンプ
冷却液をエンジン内部に強制的に循環させる部品、電動車の普及に伴い、電動タイプの普及も進む

コンデンサー
エアコン用の高圧冷媒を外気で冷やす熱交換器

▶ エンジン冷却回路の仕組み

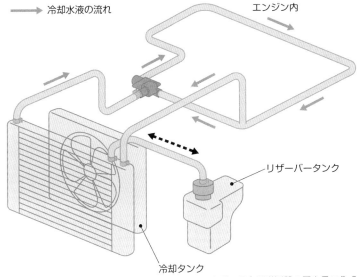

——→ 冷却水液の流れ

エンジン内

リザーバータンク

冷却タンク

出所：日本電磁測器の図を元に作成

▶ 電気自動車向け暖房機器の比較

	燃焼式ヒーター	PTCヒーター（空気加熱）	PTCヒーター（水加熱）	ヒートポンプ
搭載のしやすさ	×	◎	○	▲
環境性能	×	○	○	○
安全性	▲	▲	○	○
速暖性	○	◎	○	○
航続距離伸長	◎	×	×	○
極低温性能	◎	○	○	▲
価格の優位性	○	◎	○	▲
類似機器	FFファンヒーター	電気ストーブ	温水暖房機	家庭用エアコン

◎＝優 ○＝良 ▲＝可 ×＝課題あり

出所：矢野経済研究所作成

Chapter3
12

センサー

センサーは、車両の内側／外側を検知、測定し、エンジンやブレーキなど、車両の各機能が適切に動作させるための情報を取得します。クルマ1台当たりの搭載数は約150個以上といわれ、自動運転技術の普及とともに搭載数はさらに増加すると見られます。

車両の性能向上に貢献するセンサ

　センサーにはエンジンや排ガスを制御するパワートレイン系、ステアリングやブレーキなどの車両制御系、エアバックや後方監視を行うボディ制御系、GPSやカーナビなどの情報通信系センサーなどが存在します。

　センサーから得た情報を基に、各部を適切に動作させることで車両の性能向上に貢献しています。センサーの種類は多岐にわたりますが、高温になるエンジンの近く、雨風に晒されるなど過酷な環境下での使用が想定されるため、耐熱性能、堅牢性、小型軽量化などの性能向上を目指した開発が進められています。

電気自動車・自動運転の性能向上はセンサーに左右される

　自動車に使用されているセンサーは電気自動車・自動運転技術の普及に伴い増加することが予測されています。例えば、従来のエンジン車には搭載されていなかった電流センサーは、モーターの駆動／回生制御、バッテリーの充放電の電流検出に使用され、電動車になくてはならない部品です。電流センサーの代表的なサプライヤーは甲神電機やデンソーなどが挙げられます。

　自動運転技術では白線や信号の検出を行うカメラ、周辺の物体検出をするLiDAR、物体との距離を計測するミリ波レーダー、天候や明るさに左右されず、物体の検出や距離を検出する超音波センサーなどが必要となります。

　センサーの代表的なサプライヤーとしてデンソー、三菱電機などが挙げられます。自動運転に採用されるセンサーにはそれぞれ長所／短所があるため、組み合わせて短所を補い合うことで、より精度が高い自動運転を実現しています。

回生
モーターの回転数が高い状態から減速すると発生する電力のこと。電動車では回生を利用することで航続距離の伸長が期待できる

LiDAR
レーザー光を使ったリモートセンシング技術の1つ

▶ 自動車に搭載されているセンサー

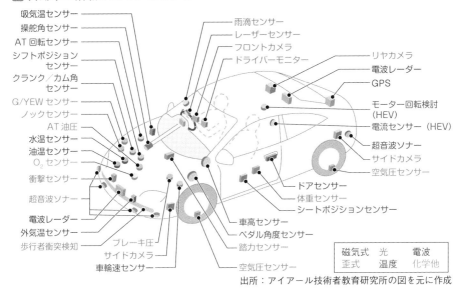

吸気温センサー
操舵角センサー
AT 回転センサー
シフトポジション
センサー
クランク／カム角
センサー
G/YEW センサー
ノックセンサー
AT 油圧
水温センサー
油温センサー
O₂ センサー
衝撃センサー
超音波ソナー
電波レーダー
外気温センサー
歩行者衝突検知

雨滴センサー
レーザーセンサー
フロントカメラ
ドライバーモニター

リヤカメラ
電波レーダー
GPS
モーター回転検討
（HEV）
電流センサー（HEV）
超音波ソナー
サイドカメラ
空気圧センサー

ドアセンサー
体重センサー
シートポジションセンサー
車高センサー
ペダル角度センサー
踏力センサー
空気圧センサー

ブレーキ圧
サイドカメラ
車輪速センサー

磁気式	光	電波
歪式	温度	化学他

出所：アイアール技術者教育研究所の図を元に作成

▶ 自動運転レベルに応じたセンサー装備数の推移

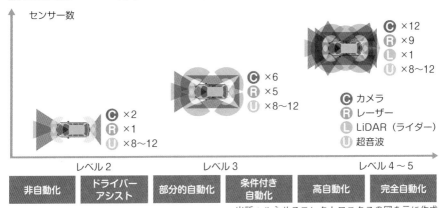

センサー数

Ⓒ ×2
Ⓡ ×1
Ⓤ ×8〜12

Ⓒ ×6
Ⓡ ×5
Ⓤ ×8〜12

Ⓒ ×12
Ⓡ ×9
Ⓛ ×1
Ⓤ ×8〜12

Ⓒ カメラ
Ⓡ レーザー
Ⓛ LiDAR（ライダー）
Ⓤ 超音波

レベル2　　　　レベル3　　　　レベル4〜5

非自動化	ドライバー アシスト	部分的自動化	条件付き 自動化	高自動化	完全自動化

出所：ルネサスエレクトロニクスの図を元に作成

👉 ONE POINT

360度センシング

センサーを使用した運転支援システムは当初、前方車の追従などの機能が主なものでした。センサーの普及や技術向上などによって、現在では全方位に対応した360度センシングが登場し、ホンダの「ホンダセンシング360」や日産自動車の「360°セーフティアシスト」などがあります。

Chapter3 13

車載インフォテインメント

車載インフォテインメント（IVI）は、インフォメーション（情報）とエンターテインメント（娯楽）を組み合わせた要素でドライバーや同乗者が必要とする情報や娯楽を提供することで運転支援や快適性を向上させます。

将来のモビリティにおいて競争力になるIVI

IVI
in-vehicle info-
tainment

HMI
Human-Machine
Interfaces、ドライ
バーのジェスチャー
を感知し、窓の開閉
を行ったりすること
が可能

IVIシステムには、カーナビやオーディオ、スマートフォンとの連携などの快適性向上、音声認識やタッチパネル操作による簡潔で直感的な操作、ドライバーの安全に配慮したHMIと呼ばれる機能などが含まれます。

IVIシステムの開発には、パナソニックやパイオニアなどの電機メーカーの他、GoogleやAppleなどのソフトウェア関連企業も参入しています。また、ホンダとソニーの合弁会社ソニー・ホンダモビリティからは、「人とモビリティのコミュニケーション」に注力した電気自動車「AFEELA」が発表されています。このモデルは多彩なアニメーションを用いてモビリティが自らの意思をドライバーや周囲の人に表現することができます。

近年、自動車メーカーがIVIに注力する背景には、電気自動車が主流となった場合、「走り」そのものは均一化しやすく、人とクルマの接点が差別化要因になると考えられているためです。

安全性・快適性向上に寄与する統合コクピット

**ドライバー管理シス
テム**
車室内のドライバー
の様子を管理するシ
ステム　わき見運
転、眠気・居眠り状
態を感知し、警報す
ることで安全運転を
促す

統合コックピットとは、車速、エンジンやモーターの回転数、ガソリンやバッテリー残量などの情報、ADASや**ドライバー監視システム**（DMS）を含めたさまざまな情報を統合的に管理／表示する機能です。自動運転の普及とともに、統合コクピットの採用増加が見込まれます。

運転席周辺に配置されたパネルに適時必要な情報が表示されるため、目線移動が少なく、センサーで察知した情報を音声やメッセージでドライバーに通知して乗員の安全性や利便性向上に寄与します。開発にはパナソニック、三菱電機などが取り組んでおり、

▶ IVIシステムの一覧

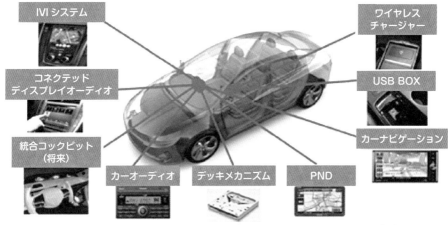

IVIシステム

コネクテッド
ディスプレイオーディオ

統合コックピット
（将来）

カーオーディオ

デッキメカニズム

PND

ワイヤレス
チャージャー

USB BOX

カーナビゲーション

出所：Panasonic

▶ AFEELAの統合コクピットイメージ

© Sony Honda Mobility

出所：Elektrobit

パイオニアはContinentalと共同開発を進めるなど協業も盛んに
行われています。

　統合コクピットはディスプレイやカーナビといったハードウェ
アではなく、ソフトウェアが中核技術となるため、自動車産業以
外のITベンダーや半導体メーカーなどの参入が多い分野となって
います。

Chapter3
14
安全装置

日本における交通事故発生件数は2022年に約30.1万件、負傷者数は35.6万人と2013年の62.9万件、78.1万人から10年間で約半分まで減少しています。背景には、法規制による安全装置の装着義務化、自動車メーカーが自主的に安全装置の搭載を進めてきたことにあります。

自動車の安全装置とは

自動車の安全装置には事故を未然に防ぐためのアクティブセーフティ、事故時に人体のダメージを軽減するパッシブセーフティという2種類の機能が備わっています。アクティブセーフティには急ブレーキ時のスピンを防止するABS、アクセル／ブレーキの操作をシステムが行い先行車との距離を一定に保つACCがあります。代表的なサプライヤーとしてアドヴィックス、Boschなどが挙げられます。

パッシブセーフティには、事故時に乗員がハンドルやドアなどへの二次衝突することを防ぐエアバックやシートベルトがあり、豊田合成や東海理化などが部品を供給しています。特にエアバックは、運転席や助手席に限らず、車室内、歩行者保護を目的とした装着が進んでおり、搭載数は増加傾向にあります。

事故軽減を目的に先進安全車の普及が進む

先進安全車（ASV）とは、安全性を高め、事故のリスクを低減するため目的でADASを搭載した自動車です。具体的に機能としては、衝突を避けられないと自動車のシステムが判断した際に自動でブレーキを作動させる衝突事故軽減ブレーキ、道路上の車線から逸脱した際に警告する車線逸脱警報などがあります。

機能の実現には自動車周辺の情報収集が必要となり、カメラ、レーダーなどの機器を使用します。代表的なサプライヤーとしてデンソー、日立Astemoなどが挙げられます。

車両価格上昇の背景には、ADASの搭載拡大が要因の一つにあります。WP29に代表される安全性の高い自動車を普及させる動きにより、今後も安全装置の搭載数は増加するとみられます。

ABS
Anti-lock Brake System。急ブレーキをかけた時などにタイヤがロック（回転が止まること）するのを防ぐこと

ACC
Adaptive cruise control、車間距離制御装置とも呼ばれる

ADAS
Advanced Driver-Assistance Systems、先進運転支援システム。安全性／快適性向上のために自動車自体が周囲の情報を把握し、ドライバーへ的確に指示や警告を行い、代わりに自動車を制御するなどの運転を支援する機能

WP29
自動車基準調和世界フォーラムのこと。安全で環境性能の高い自動車の普及を促進する観点からなる基準の国際調和および認証の相互承認を目的とする

▶ アクティブセーフティ

衝突被害軽減ブレーキ

ぶつからない技術

ペダル踏み間違い急発進抑制装置

飛び出さない技術

車線逸脱警報

はみ出さない技術

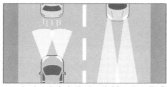

先進ライト

ヘッドライト自動切り替え技術

出所：広島市役所の資料を元に作成

▶ カメラ／レーダー／ライダーそれぞれの機能

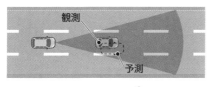

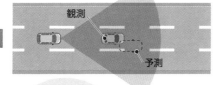

使用した 車載センサーの 種類	特性
ミリ波レーダー	速度や距離の検知精度が高い
車載カメラ	車幅など対象物の大きさで検知できる
LiDAR（ライダー）	全般的に検知精度が高いが、霧に弱い

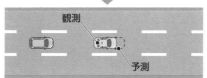

出所：三菱電機の図を元に作成

新興OEMがトレンド先取り、従来OEMは後追いの流れに

近年、新興自動車メーカーによる新技術の投入が顕著となっています。これらのメーカーはスマートコックピットや自動駐車など最新技術や機能を取り込むことにより、製品の魅力を高め、従来メーカーを凌駕するスピードで製品を市場に投入しています。

自動車部品においても例外ではなく、モーター、インバーター、ギアを一体化したeアクスルでは、中国メーカーが低コスト、小型軽量化を目的に車載充電器、DC-DCコンバーターなどを一体化したX-in-1タイプのeアクスルを搭載し、日本ではBluE Nexusが現在開発を進めています。

また、モーターやバッテリーを冷却する部品で、航続距離伸長にも寄与するウォーターポンプやコンプレッサは、バルブとポンプなどを一体化した冷却モジュールの開発が進んでいます。冷却モジュールは参入各社が試作品を展示会で発表する状況のなか、テスラは「オクトバルブ」、BYDは「ノナバルブ」という部品を開発、既に自社の車両に搭載しています。

製造方法においては、テスラが大型のアルミ部品を一体成型する「ギガキャスト」による製造工程の効率化や部品点数の大幅削減を先行して実現、自動車メーカーでも、トヨタ・ホンダが製造ラインにギガキャストの導入を発表、自動車部品サプライヤーでもアイシンが2023年9月にバッテリー用骨格部品の製造にギガプレスの採用を発表しています。

このように直近では、新興メーカーが技術トレンドを作り、従来メーカーが後追いするという構図が鮮明となっています。従来メーカーは、長年にわたり製品を投入してきた実績もあり、「ユーザーメリットはあるのか？」「コストに見合う性能が実現できる？」という考えから新技術の採用には慎重となりがちです。

しかし、従来メーカーも新興メーカーの技術をキャッチアップした次世代モデルを2025年ごろから投入し、巻き返しを図る姿勢が見せていることから、今後シェア争いは熾烈なものになるとみられます。

第4章

自動車部品業界を取り巻く法律／品質規格

自動車に関連した法律は、危険防止や交通の円滑化などを目的として制定されています。また生産側にも品質や安全性を高めるためにあらゆる規格が定められています。本章では、これらの法律や規格について確認していきます。

Chapter4
01

日本における自動車に関する法律／税制

自動車については安全確保、公害防止、事故被害者の救済などを目的に各種の法律が制定されています。また自動車の取得や保有に対し、税金が課せられ、大きな税収源となっています。

人命、環境を守るために制定される自動車関連法

　自動車は人々の生活に欠かせないものである一方、事故などが発生すれば命に関わる危険が伴います。また走行時に化学物質を排出するため、環境への影響も配慮する必要があります。自動車が人々の生活に悪影響を与えないよう、いろいろな法律が制定されています。

　自動車関連の法律は、その対象別に大きく「自動車の構造」「運転者／歩行者」「道路」という3種類に分類されます。これらの法律は状況に応じて改正され、自動車業界ではその改正内容に準じた製品の改良を行う必要があります。製品の改良はコスト上昇の要因になりうるため、自動車メーカーは製造原価の低減を進めるために日々改善に取り組んでいます。

日本の税収の中でも割合の大きい自動車関係諸税

　日本では、自動車取得時や所有時、またガソリンなどの燃料に税金が課せられています。この自動車関係の税金は、租税総収入の中で占める割合は大きく、貴重な税収源の1つとなっています。

　しかし日本は世界各国に比べ、自動車に関する税制が複雑でかつ高額なため、自動車を保有することでの税負担が重くなっています。このような現状の改善を求めて、自動車業界から政府へ税負担の軽減、税制簡素化の申し入れが日々行われています。

　また地球温暖化対策の取り組みの一環として、CO_2排出の少ない電動車などの環境対応車に対してはエコカー減税が実施され、普及を促す政策がとられています。

　さらにBEVやFCEVについては税控除だけでなく、国や地方自治体による購入補助金制度が設けられており、カーボンニュートラルに適合する自動車の販売を奨励しています。

エコカー減税
排出ガス性能や燃費性能に優れた車を所有した際に受けられる優遇措置。25％～100％まで減免措置があり、2023年ではBEV、PHEV、FCEV、天然ガス自動車、クリーンディーゼル車は免税（100％減税）となっている

購入補助金制度
環境性能に優れた車（EV、PHEV、FCEV）を対象とした購入費用の一部を補助する制度。2023年では国からの補助金としてBEVで最大85万円の補助が支給される

▶ 自動車に関する日本の主な法律

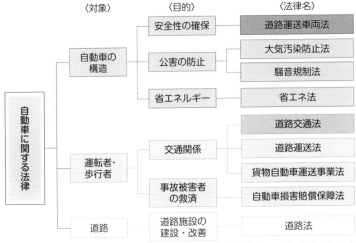

出所：日本規格協会グループの図を元に作成

▶ 2023年度の租税収入および自動車関連の税収

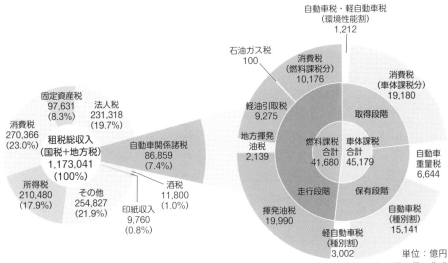

単位：億円

出所：「日本の自動車工業2023」の図を元に作成

Chapter4 02 車両の安全に関わる法律

自動車の安全性を確保し、適正な使用のために車両の検査、登録の制度を定めた法律が道路運送車両法（車両法）です。自動車業界にとって最も影響の大きい法律であり、改正に応じて自動車の機能が追加／改善され、年々安全性は向上しています。

車両のルールを定めた「道路運送車両法（車両法）」

道路運送車両法（車両法）は、自動車が安全に走行かつ適正に使用できるよう、自動車運送車両の登録や保安基準、点検、整備、検査などについて定めた法律です。具体的にはナンバープレート発行などの自動車の所有権（登録）や、車検などを含めた車両整備などについて規定しています。

車両法の中で自動車業界にとって最も重要視されるのが保安基準です。これは安全確保と公害防止などの観点から、自動車の設計製造のための各種の要件を規定しており、この基準を満たさない場合は、自動車の販売ができないためです。

保安基準は安全性の向上などを目的として、年々改正が行われ、2021年には自動ブレーキの搭載が義務化されました。これらの改正を踏まえて、自動車メーカー各社では基準に適合した車両になるよう開発を進める必要があります。

自動ブレーキ
義務化されたのは、衝突被害軽減ブレーキ（AEBS、Advanced Emergency Braking System）

保安基準を満たすかどうかを確かめる「自動車型式指定制度」

通常の量産車は販売開始前に、保安基準に適合しているか、また品質管理体制が整備されているかなどを国が審査を行います。この審査を通過すると、型式が指定（認証）されます。これによって新車1台ごとの現車チェックは省略され、自動車メーカーの完成品検査のみで出荷可能になります。この一連の制度を自動車型式指定制度といいます。型式の指定は、自動車の安全性を確認するためには欠かせない重要なプロセスですが、近年では型式審査時のデータ不備や無資格者による完成品検査が次々発覚し、業界を揺るがす大問題となりました。今後の改善、再発防止に向けた対策を進めていく必要があります。

▶ 自動車型式指定制度

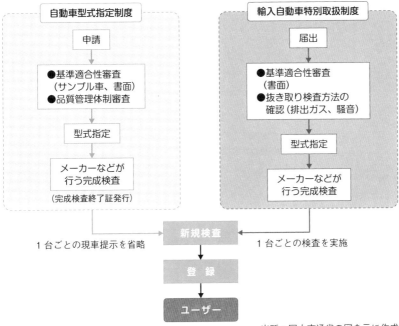

出所：国土交通省の図を元に作成

▶ 型式認証に関わる品質不正一覧

年月	企業名	不正内容
2017年9月	日産自動車	完成車検査を無資格者が実施
2017年10月	スバル	完成車検査手続き不正
2018年8月	スズキ	燃費・排出ガス検査不正
2018年8月	マツダ	燃費・排出ガス検査不正
2022年3月	日野自動車	燃費・排出ガス検査不正
2023年5月	ダイハツ	側面衝突試験不正・データ改ざん

👍 ONE POINT　型式認証試験の内容

自動車メーカーでは型式指定取得のため、サンプル車（認証車）を作成して実車で試験を実施します。衝突試験やブレーキ、灯火などの性能、燃費や排出ガス試験が保安基準を満たしているかの確認が行われます。合格しない場合、開発がやり直しとなるため、自動車メーカーは事前に十分な検討を行い認証試験に臨みます。

Chapter4 03

環境に関わる法律

自動車は走行時にさまざまな化学物質を排出し、大気汚染などの環境悪化につながるため、派出ガスの規制が定められています。また近年では地球温暖化防止に向け、CO_2排出についても制限が始められています。

環境を悪化させないための「排出ガス規制」

　自動車（内燃機関）では、エンジンで燃料を燃焼させる際にさまざまな化学物質が生成され、ガスとして排出されます。そのガスの中には人や生活環境に悪影響を及ぼす物質もあるため、法律によってさまざまな規制がされています。

　大気汚染防止法では、自動車1台ごとの排出ガス量の許容限度を定めています。道路運送車両法の保安基準に織り込まれ、基準を満たさない場合は、その自動車を販売できないように規定しています。また、自動車NOx・PM法では、軽油を燃料とするディーゼル車を対象とし、都市部の大気汚染軽減を目的として対象地域で使用できる車を制限しています。CSR、環境への取り組みの観点から、自動車業界全体で基準や制限を遵守するように厳しくチェックされ、不正などが再発しないよう対策が進められています。

自動車に求められるCO_2排出削減

　地球温暖化の原因となる二酸化炭素排出では、人や物などの移動や輸送に関わる運輸部門が日本全体のおよそ2割を占め、その中で8割は自動車が占めています。二酸化炭素の排出削減に向けて、自動車に対するあらゆる基準が設けられています。

　省エネ法では、自動車メーカーが目標年度までに、自動車の平均燃費値を燃費基準値以上にするように求めています。また消費者が二酸化炭素排出の少ない自動車を選択できるよう、燃費値に関する表示事項についても定められています。

　また電気自動車購入時の補助金支給や、燃費性能に応じた課税を行う環境性能割の施行など、いろいろな税制の優遇によって、環境負荷の少ない自動車の普及を促しています。

NOx
二酸化窒素（NO2）などの窒素酸化物。呼吸器疾患や光化学スモッグや酸性雨の原因となる

PM
Particulate Matters、粒子状物質。呼吸器疾患や肺がんリスク上昇や循環器系へ影響する

省エネ法
正式名称は「エネルギーの使用の合理化及び非化石エネルギーへの転換等に関する法律」

日本のCO_2排出部門別の割合（2021年度）

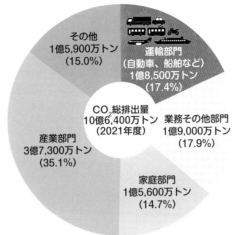

その他
1億5,900万トン
（15.0%）

運輸部門
（自動車、船舶など）
1億8,500万トン
（17.4%）

CO_2総排出量
10億6,400万トン
（2021年度）

業務その他部門
1億9,000万トン
（17.9%）

産業部門
3億7,300万トン
（35.1%）

家庭部門
1億5,600万トン
（14.7%）

出所：国土交通省の資料を元に作成

運輸部門のCO_2排出量の推移

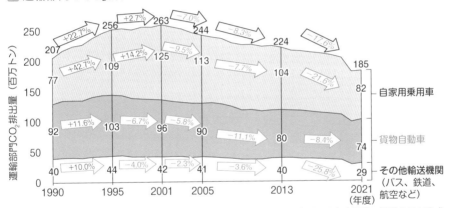

出所：国土交通省の資料を元に作成

👍 ONE POINT

規制厳格化による認証不正

排出ガス基準の規制強化に伴い、自動車メーカーの開発負担は増加しています。直近では日野自動車が基準をクリアできないために試験時に不正を行ったことが発覚し、エンジンの型式認証が取り消されました。豊田自動織機のフォークリフトでも同様の不正が発覚し、販売を停止しました。日本の自動車業界は再発防止を求められています。

Chapter4
04

交通に関わる法律

自動車による移動を安全に行うためには車両だけでなく、運転者や歩行者についてのルール、規制が必要となります。道路交通法では時代に合わせ、運転手／歩行者の義務や免許制度、違反について改正を行い、安全な移動が行える社会の実現を目指しています。

時代と共に変わる「道路交通法」

道路交通法は1960年に制定されましたが、時代の変化に合わせて、危険防止措置の強化や運転免許制度の整備が進められてきました。例えば、1985年にシートベルト着用義務は規定され、以降はその適用範囲を広げています。

事故発生時の被害を最小限に抑えるために改正が進められ、自動車メーカーもそれへの対応を進めています。その他にも飲酒運転の厳罰化、走行中の携帯電話操作への罰則などが強化されています。

高齢化社会を背景に、高齢運転者に対する免許更新時の認知症検査や講習が義務化されたり、あおり運転での事故が社会問題となり、2020年に妨害運転罪が創設されました。

妨害運転罪
「交通の危険のおそれがある妨害運転」によって、重大な交通事故につながる危険を生じさせた場合に適用される

進められる自動運転に向けた法整備

自動運転レベルが3以上の場合、運転責任がドライバーからシステムに移るため、それに応じた法律の改正が必要です。2020年の改正ではレベル3、条件付きの自動運転への対応として、自動運転時の携帯電話やカーナビの使用が可能になりました。この改正後に世界初となるレベル3搭載車、ホンダ「レジェンド」が発売されています。

2023年の法改正では、レベル4（高度運転自動化）が解禁となりました。ただし、移動サービスの社会実装を前提対象となっています。事業者が公安委員会に申請を行い、許可を得て、レベル4の公道走行が可能になります。主に交通インフラが脆弱な地域において、走行ルートが決まったバスなどでの運用が想定されています。

今後も開発が進められている自動運転の技術動向などに合わせて、それに対応した法整備が見込まれています。

ホンダ「レジェンド」
2021年にホンダからリース専用として販売された大型セダン車。100台の限定生産となっており、2022年には生産を終了した

道路交通法の主な改正点

年	改正点
1960年	道路交通取締法が廃止され、道路交通法が施行開始
1963年	名神高速道路開通に伴い、高速道路に適用される特別規則の整備
1970年	酒気帯び運転に対する罰則が復活
1972年	初心運転者標識（初心者マーク）の導入
1985年	シートベルト着用の義務化
1991年	オートマチック限定免許の開始
1999年	運転中の携帯電話の使用禁止
2000年	6歳未満のチャイルドシートの使用の義務化
2002年	酒酔い運転、酒気帯び運転、悪質で危険な運転に対する罰則強化
2004年	走行中の携帯電話使用に対する罰則強化
2007年	飲酒運転に対する罰則強化（「車両の提供」、「酒類の提供」、「同乗行為」の禁止・罰則を新設）
2008年	後部座席のシートベルト着用の義務化
2017年	高齢運転者対策の強化（臨時認知機能検査、臨時高齢者講習の新設）
2019年	走行中の携帯電話等の使用（ながら運転）の罰則強化
2020年	妨害運転罪の創設によるあおり運転の厳罰化
2022年	社用車を使用する際、安全運転管理者による運転者の乗車前後のアルコールチェックを義務化
2023年	自転車用ヘルメット着用の努力義務化
2023年	特定小型原付（電動キックボードなど）を新設。16歳以上であれば運転免許証は不要

自動運転のレベルに対応した法整備の状況

レベル	概要	操縦※の主体	対応する車両の呼称
運転者が一部又はすべての動的運転タスクを実行			
レベル0	・運転者がすべての動的運転タスクを実行	運転者	－
レベル1	・システムが縦方向又は横方向のいずれかの車両運動制御のサブタスクを限定領域において実行	運転者	運転支援車
レベル2	・システムが縦方向及び横方向両方の車両運動制御のサブタスクを限定領域において実行	運転者	
自動運転システムが（作動時は）すべての動的運転タスクを実行			
レベル3	・システムがすべての動的運転タスクを限定領域において実行 ・作動継続が困難な場合は、システムの介入要求等に適切に応答	システム（作動継続が困難な場合は運転者）	条件付自動運転車（限定領域）
レベル4	・システムがすべての動的運転タスク及び作動継続が困難な場合への応答を限定領域において実行	システム	自動運転車（限定領域）
レベル5	・システムがすべての動的運転タスク及び作動継続が困難な場合への応答を無制限に（すなわち、限定領域内ではない）実行	システム	完全自動運転車

出所：「日本の自動車工業2023」の資料を元に作成

リコールとは何か

「リコール」とは製造時の要因により、安全確保、公害防止、環境保全の観点で保安基準を満たさない、またそのおそれがある場合に部品の交換や回収を行うことです。そのような状況になった場合は、メーカーが迅速に対応する必要があります。

市販車の品質異常対応「リコール」

リコールとは、市販車に道路運送車両法の保安基準に適合していない、もしくは適合しなくなるおそれがある品質異常が発生し、その原因が設計または製作過程にあると認められる場合、自動車メーカーが保安基準に適合させるために部品の交換や改修などの必要な改善措置を行うことです。

設計時、製造時に品質異常を発生させない前提で生産が進められていますが、不具合報告や社内監査、検査時の異常発見によって、保安基準を満たさない場合は、国土交通省に届出を出す必要があります。また同一型式／同要因での事故が多発している場合は、国土交通省が原因調査を行い、リコールの勧告を行うこともあります。なおリコール以外の市販車の改善措置として改善対策やサービスキャンペーンが挙げられます。

莫大な金額がかかる「リコール」

リコールが発生した場合は、ユーザーにリコールの内容を伝えたり、販売店で部品交換や改修対応などを行うため、多額の費用が発生します。リコールへの対応は品質費用として計上され、メーカーの業績にも大きな影響を与えます。

自動車の安全面や環境上の問題からリコールを行うのは当然ですが、その費用負担や企業イメージの毀損による損害は莫大なため、日頃からリコールが発生しないように厳密な品質管理を行っていく必要があります。最近ではIoTやコネクテッド化の進展によって、ソフトウェア改修では販売店に出向く必要のないOTAでリコール対応が行われるケースも出てきており、今後もこの方法によるリコール対応が増加していくと予測されています。

改善対策
リコールと行う処置に変わりはなく、保安基準における規定も存在しないが、保安基準に適合しているかどうかという点でリコールとは異なる

サービスキャンペーン
リコール届出や改善対策届出に該当しないような不具合で、商品性・品質の改善措置を行うこと

OTA
Over The Air、ソフトウェアやファームウェアのアップデートのプログラムを無線経由で行うこと

▶ リコール届出の流れ

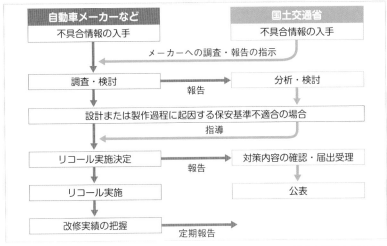

リコールの勧告、命令

※1　メーカーには監査の実施などにより指導・監督を行っている

※2　必要な場合には、(独)自動車技術総合機構交通安全環境研究所リコール技術検証部において技術的検証を行う

※3　虚偽報告、リコールの届出義務違反、リコール命令に従わない場合には、罰則(懲役1年以下、罰金300万円以下、法人罰金2億円以下)が科せられる

出所：国土交通省の資料を元に作成

▶ リコール届出件数および対象台数

年度	2019年度	2020年度	2021年度
件数	10,534,494	6,610,555	4,257,931

🖐 ONE POINT　　大規模リコールがもたらす影響

エアバックを製造するタカタは異常破裂する品質異常が発覚し、日本2,000万台、アメリカ3,000万台を超える大規模リコールが発生しました。タカタは安全部品で世界的にも高いシェアを占めていましたが、リコール費用が膨らんだ結果、最終的に経営破綻に至りました。

海外における安全規制

安全／環境基準を満たさなければ、その国で自動車の販売ができません。交通環境や事故・環境問題に応じて、国独自の基準が合わせて個別で対応するのは大きな負担となるため、国際的な基準作りが進められています。また、安全に対して、国際的なアセスメントも公表されています。

国によって異なる安全規制

　自動車の使われ方は世界各国によって、実に多様であり、その国の交通環境や各国の交通環境や事故・環境問題の発生状況に応じた各国独自の基準作りが行われてきました。

　自動車及び自動車部品のグローバル化が進む中で、国ごとの仕様変更、追加試験、重複した認証／試験は、自動車メーカーにとって大きな負担となってきました。仕向地別の自動車の設計仕様の統一や各国の認証手続きの簡素化を目的として、国際的な基準作りが進められています。

　国際的な基準は、認証の相互承認を図る目的の 1958年協定と1998年協定があります。

　1958年協定は、政府認証制度を適用している国々（主にヨーロッパ、東南アジア）との認証の相互承認、1998年協定はメーカーによる自己認証制度を適用している米国などとの基準調和を目的としています。これらの基準は、国連の自動車基準調和世界フォーラム（UNECE/WP.29）で協議され、決定し、近年では自動運転などの先進技術についても対応が進められています。

1958年協定
通称「国連の車両・装置等の型式認定相互承認協定」

1998年協定
通称「国連の車両等の世界的技術規則協定」

国際的な安全評価

　消費者が安全な自動車を選べる環境を整えるとともに、メーカーによる安全な自動車の開発を促進し、安全な自動車の普及を促進する目的のため、世界各国では自動車の安全アセスメントが実施され、結果が一般に公開されています。それぞれの国の交通事情によって評価項目は異なっており、また積極的に新項目を取り入れており、Euro NCAPが最も激しい内容となっています。またアメリカではNCAPとは別にIIHSの安全評価も行われています。

安全アセスメント
New Car Assessment Program、NCAPと略される

IIHS
Insurance Institute for Highway Safety、米国道路安全保険協会

▶ 1958年／1998年協定の関係図

出所：国土交通省の資料を元に作成

▶ 各国の安全評価方法

実施機関	試験方法	評価方法
米国運輸省道路交通安全局（NHTSA）	・フルラップ前面衝突試験 ・側面衝突試験 ・ロールオーバー試験 ・ESC（横滑り防止装置）、サイドエアバック等装備有無 ・チャイルドシート使用性評価	乗員傷害値による5段階評価（★による表示、5★が最良）
米国道路安全保険協会（IIHS）	・オフセット前面衝突試験（対デフォーマブル・バリア、速度64km/h） ・SUV側面衝突試験（対ムービングバリア、速度50km/h） ・後突頚部傷害保護試験 ・ルーフ強度試験 ・ESC装備有無を評価	車体変形、乗員傷害値による4段階の総合評価。総合評価にてTop Safety Picks車を選定
ヨーロッパ（Euro NCAP）	・オフセット前面衝突試験（後席子供の乗員含む） ・側面衝突試験（後席子供の乗員含む） ・ポール側突試験 ・後突頚部傷害保護試験 ・歩行者（頭部・脚部）保護性能試験 ・ESC装備率評価 ・運転席、助手席、後席シートベルトリマインダー装備有無 ・スピードリミッター装備有無	左記全評価項目、評価結果を重み付け集計し、総合評価結果（★による表示、5★が最良）
オーストラリア、ニュージーランド（A-NCAP）	・オフセット前面衝突試験 ・側面衝突試験（ポール試験はオプション：対ポール29km/h） ・歩行者（頭部・脚部）保護性能試験 ・ESC装着有無	車体変形、乗員傷害値による総合評価（★による表示、5★が最良）
韓国建設交通部（KNCAP）	・フルラップ前面衝突試験 ・側面衝突試験 ・歩行者（頭部・脚部）保護性能試験 ・後突頚部傷害保護試験 ・ブレーキ性能試験 ・ロールオーバー試験	乗員傷害値による各項目別5段階評価（★による表示、5★が最良）
中国自動車技術研究所（C-NCAP）	・フルラップ前面衝突試験（後席AF05乗員含む） ・オフセット前面衝突試験（後席AF05乗員含む） ・側面衝突試験 ・シートベルトリマインダー、ISO-FIXアンカッジ有無	車体変形、乗員傷害値による総合評価（★による表示、5つ★+が最良）

出所：国土交通省の資料を元に作成

✔ ONE POINT　　　**安全評価が持つ意味**

NCAPやIIHSの安全評価は消費者が自動車を選ぶ際の基準となり、販売台数に大きな影響を与えます。そのため自動車メーカー各社はそれぞれの試験項目の改訂を注視し、高評価が取れるよう開発を進めます。

海外における環境規制

Chapter4
07

自動車は走行の際にさまざまな化学物質を排出し、環境へ悪影響を与えることから、世界各国で規制が行われています。環境対策として排出ガスの規制が実施され、年々強化されています。また地球温暖化の原因となるCO_2の排出削減へ向けた取り組みが進められています。

年々厳しくなる排出ガス規制

排出ガスによる大気汚染が進み、世界中で大きな問題となっています。各国政府では解決に向け、原因となる大気汚染物質の排出規制を実施しています。規制は年々厳しくなり、自動車メーカーでは技術開発を進め、規制をクリアしてきました。

また人体に健康被害をもたらす粒子状物質（PM）についても対策が進んでいます。ヨーロッパでは現在、自動車による大気汚染物質の排出規制値を定めたEuro6が適応され、より規制を強化したEuro7が2025年から適応開始予定です。自動車メーカーにとっては対応に向けた技術開発のコスト増が大きな負担となっています。

大気汚染物質
一酸化炭素、炭化水素、窒素酸化物などがある

CO_2排出削減へ向け燃費規制

全世界で排出された温室効果ガス（GHG）のうち、交通／輸送部門が占める割合は約16.9％で、発電部門に次いで多く、そのうち乗用車による排出が約45％と最も割合が高く、地球温暖化抑制に向け、自動車のCO_2排出削減が求められています。

2050年のカーボンニュートラルに向け、世界各国では自動車のCO_2排出規制が始まっています。主にCAFE規制が採用され、規制の厳しいヨーロッパでは基準を満たさなければ罰金となります。CAFE規制は年々強化され、自動車メーカーは燃費の向上や燃費が「0」で計算されるBEVやFCEVの販売台数を増やすことが急務となっています。

また中国ではNEV規制、アメリカのカリフォルニア州ではZEV規制で、CO_2を排出しない／少ないBEVやFCEVなどを一定比率販売することが義務付けられています。

GHG
Greenhouse Gas

CAFE規制
CAFEとはCorporate Average Fuel Efficiency（企業別平均燃費基準）の略。車種別にではなく、メーカーごとに出荷台数を考慮した平均燃費（加重調和平均燃費）を算出して規制する方式。この方式の場合、ある特定の車種が燃費基準をクリアできなくても、ほかの車種の燃費向上によってそれをカバーすることが可能になる

Euro6とEuro7の比較

規制物質	ユーロ6d		ユーロ7
	ガソリン	ディーゼル	
一酸化炭素（CO）	1000	500	500
窒素酸化物（NOx）	60	80	60
非メタン炭化水素（NMHC）	68	–	68
全炭化水素（THC）	100	–	100
粒子状物質（PM）	4.5	4.5	4.5
アンモニア（NH$_3$）	–	–	20
粒子状物質数（PN）	$6×10^{11}$	$6×10^{11}$	$6×10^{11}$
試験方法	RDE試験を基本とするとともに試験範囲を拡大		

出所：日刊工業新聞社の記事を元に作成

CO$_2$排出目標の推移と将来目標

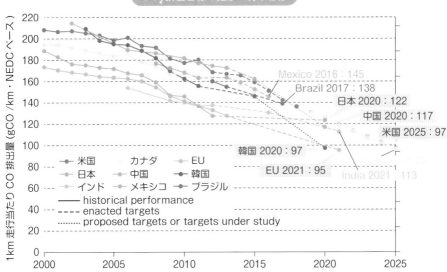

（備考）ICCT The International Council on Clean Transportation）が各国の目標値をNEDCテストサイクル
ベースでCO$_2$換算したもの。日本は20.3km/L（2020年）、中国は6.9L/100km2015年）、5L/100km 2020
年・提案中）、米国は143gCO$_2$マイル。
http://www.theicct.org/blogs/staff/improving conversions between passenger vehicle efficiency standards

出所：ICCT、環境省の資料を元に作成

🏁 ONE POINT

NEV/ZEV規制とクレジット

中国ではNEV規制により、アメリカ、カリフォルニア州ではZEV規制にて、BEVや
FCEVなどのCO$_2$排出しない／少ない自動車を一定比率販売することが義務付けられ
ています。この制度では基準よりも多いBEVやFCEVを販売すると、クレジット（CO$_2$
排出権）が獲得でき、未達成の企業に販売することで収益をあげることができます。
BEVの販売台数が大きい企業にとって、クレジットは大きな収益源となっています。

Chapter4
08
進む内燃機関車の販売規制

世界では地球温暖化防止に向け、CO_2を排出する内燃機関車の販売が規制される見込みとなっています。自動車メーカーでは各国の規制に合わせて、電動化へのロードマップを立案しています。

販売が禁止されていく内燃機関車

温室効果ガスの排出を全体としてゼロにするカーボンニュートラルに向け、動力減として化石燃料を使用し、CO_2を排出する内燃機関車の販売を禁止する動きが広がっています。

規制の厳しいヨーロッパでは、2035年にHEVを含むガソリン車の新車販売が禁止することが決められました。

アメリカではカリフォルニア州でも2035年以降、ガソリン車の新車販売が禁止される規制の採用が決定し、複数の州がこれに追随する見込みです。

これらの規制とは別に、各国では電動化の目標を設定しており、消費者への補助金や税優遇、電動化を進める企業への産業支援策を実施することで、普及を促しています。

化石燃料
自動車に使われる燃料、ガソリンや軽油（ディーゼル）

企業への産業支援策
代表的なものとしてアメリカのIRA（インフレ抑制法）がある

メーカーごとに異なる電動化ロードマップ

自動車メーカー各社では、世界で進む燃費規制／ガソリン車販売禁止を受け、電動化の計画を発表しています。各社の販売地域、及び保有する技術の違いによって、その計画には差が見られます。環境規制の厳しい欧州のメーカーはBEV移行が早く、2030年段階でBEV100％を打ち出しているメーカーが複数あります。アメリカでも加速するEVシフトを受け、GM、FordがBEVの生産や販売拡大を進めています。

日本メーカーはHEV技術に強みがあり、EVシフトの計画は海外メーカーに比べ遅れています。2023年現在はEVの製造コストが高く、車両価格も高く設定されるうえ、利益が出づらい状況にあるため、いつEVへ移行するのかが、今後の自動車メーカーの業績に大きな影響を与えると予想されています。

各国の電動化目標

	目標年度	目標	FCV	EV	PHEV	HEV	ICE
日本	2030	HV：30～40% EV・PHV：20～30% FCV：～3%	～3%	20～30%		30～40%	30～50%
	2035	電動車 (EV/PHV/FCV/HV) 100%	100%				対象外
EU	2035	EV・FCV：100%※1	100%		対象外		
アメリカ	2030	EV・PHV・FCV：50%	50%			50%	
中国	2025	EV・PHV・FCV：20%	20%				
	2035	HEV50% EV・PHV・FCV：50%※2	50%			50%	対象外
イギリス	2030	ガソリン車：販売禁止 EV：50～70%	50～70%				対象外
	2035	EV・FCV：100%	100%		対象外		
フランス	2040	内燃機関車：販売禁止	100%		対象外		
ドイツ	2030	EV： ストック1,500万台	ストック 1,500万台				

※1 欧州委員会提案　※2 自動車エンジニア学会発表

出所：経済産業省の資料を元に作成

世界の自動車メーカーの電動化目標

自動車メーカー	目標設定時期	電動化率目標	対象電動車
トヨタ	2030年	世界販売800万台	EV、FCV、PHV、HV
	2035年	中国50%	EV、FCV
ホンダ	2030年	先進国40%	EV、FCV
	2035年	先進国80%	EV、FCV
日産	2030年代前半	主要市場100%	EV、HV
マツダ	2030年	100%	EV25%、PHV、HV
スバル	2030年	40%以上	EV、HV
	2030年前半	電動車100%	―
三菱自動車	2030年	50%	EV、PHV、HV
フォルクスワーゲン	2030年	ヨーロッパ70%、北米・中国50%	EV
メルセデスベンツ	2030年	100%	EV
アウディ	2026年	100%	EV
BMW	2030年	50%	EV
ルノー	2030年	ヨーロッパ90%	EV
ボルボ	2030年	100%	EV
GM	2035年	100%	EV、FCV
フォード	2030年	40%	EV

第4章 自動車部品業界を取り巻く法律／品質規格

101

Chapter4
09

自動車に求められる品質

自動車は異常が発生すると、人命に関わる産業製品です。そのため、高い安全性が求められ、1つ1つの部品が品質維持していることが重要になります。自動車メーカー／部品メーカーでは品質を保つために規格を取り入れた仕組みを構築し、生産を行っています。

「品質」とは

一般的に品質とは「製品の機能が十分に果たされている」と、製品の質のみで考えがちです。ISO 9000では「本来備わっている特性の集まりが要求事項を満たす程度」と定義され、製品だけでなく、サービスや納期なども含めて品質とされています。

自動車は異常があると、命に危険が及ぶ可能性があるため、高い安全性が求められます。また部品が1つでも欠品すれば生産ができないため、納期管理を遵守する必要があります。そのため、自動車業界は、他業界と比べても高い品質が要求されています。

自動車で使用される部品は、非常に多くのサプライヤーが納入しています。自動車メーカーに納める一次サプライヤー(Tier1)のみならず、二次サプライヤー(Tier2)以降も品質維持が求められ、業界全体として高い品質を維持することが必要とされます。

品質を維持するための規格

自動車業界全体での高品質の維持、また互換性や安全性の確保、業務の効率化のためにさまざまな規格が設けられ、これらの規格を取得し、規格に準じた生産を行います。代表的な規格として日本産業規格や国際標準化機構の定めるISO 9001があります。

しかし、これらの規格は工業製品、サービス全般に対する規格であるため、自動車業界の求める高い品質には不十分な点があります。自動車業界独自の品質規格としてIATF 16949、ISO 26262などが策定され、運用されています。

自動車メーカーから受注を獲得するには、これらの規格の取得が前提とされる場合も多く、サプライヤーでは各規格を取得し、その規格に基づいた製品の生産、仕事の標準化が実施されています。

日本産業規格
Japanese Industrial Standards、略称JIS。日本の産業製品に関する規格や測定法などが定められた日本の国家規格のこと。2019年7月以前は日本工業規格と呼ばれていた

ISO 9001
品質マネジメントシステムに関する国際規格

▶ 品質の定義（トヨタの例）

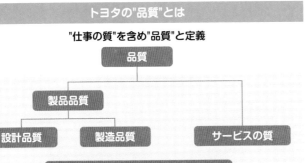

出所：トヨタの資料を元に作成

▶ 自動車関連の国際規格

規格名	説明
ISO 9001	サービス、製品の質を保ち、顧客満足度を高める品質向上マネジメントシステム規格
ISO 14001	製品製造やサービスなど活動による企業の環境への負荷を最小限にするように定めた国際規格
IATF 16949	自動車に特化した品質向上マネジメントシステム規格
ISO 26262	自動車に搭載する電気／電子システムについての機能安全規格
ISO/SAE 21434	自動車のサイバーセキュリティ対策を定めた国際規格

☝ ONE POINT 現場だけでない自工程完結

自動車業界では製造現場で生まれた、「自らの工程を完璧に遂行し、次の工程に不適合品を流さない」自工程完結の考え方は現場だけでなく、間接部門にも取り入れられています。労働生産性を高めるため、仕事の意味を明確化し、品質を保ったアウトプットを継続的に誰もが行えるよう仕事の標準化の取り組みが進められています。

Chapter4
10

IATF 16949とは

自動車業界では、一般的な国際標準規格 ISO 9001 に加え、自動車産業に特化した品質マネジメントシステムを追加した IATF 16949 が策定されています。

IATF 16949ができるまでの経緯

　自動車の生産では、非常に多くのサプライヤーから製品を納入し、安全性を保証するために、1つ1つに高い品質が必要とされます。製造における品質保証を確実なものにするためには、自動車メーカーだけでなく、サプライヤーの品質マネジメントが不可欠であり、その標準化のために自動車産業に特化した国際規格 IATF 16949 が作成されました。

　規格を定める IATF は、欧米の自動車メーカーにより構成されていますが、日本、韓国の自動車メーカーでも IATF 16949 が採用されています。自動車メーカーからの受注において、IATF 16949 の取得が要求事項とされる場合が多くあり、グローバルで事業を展開するサプライヤーにとって、取得が必須の規格となっています。

IATF
International Automotive Task Force、国際自動車産業特別委員会

IATF 16949で求められる内容

　IATF 16949 は、ISO 9001 に自動車業界に特化した要求事項が追加され、加えて顧客からの要求事項 CSR も網羅した運用体制が求められます。この品質マネジメントシステムを維持するために5つのコアツールが定められており、開発から販売までそれぞれの段階に応じて導入していくことが必要です。

　IATF 16949 では、「不適合（不良）の予防」「サプライチェーンにおけるバラつきや無駄の低減」「継続的な改善」を主な目的としており、自動車業界全体で取り組むことによって、質の高い製品を効率的、継続して作りこめるように、規格の普及に力が入れられています。

CSR
Corporate Social Responsibility、企業の社会的責任を指す

コアツール
IATF 16949 において特に重視される技法を規定したマニュアル

▶ ISO 9001 と IATF 16949

```
           顧客固有要求事項 ---------- 顧客ごとに指定

審査対象     自動車産業固有の要求事項 ------┐
                                        │ IATF 16949規格に掲載
             ISO 9001 --------------------┘
```

▶ IATF 16949 のコアツールと作業工程

略称	名称	内容	企画	設計	開発	開発試作	量産試作	量産
APQP	先行製品品質計画	新製品開発プロジェクトの運営要領						
FMEA	故障モード影響解析	故障・不具合の防止を目的とした、潜在的な故障の体系的な分析方法						
MSA	測定システム解析	測定器、測定者、測定環境などの変化から生じる変動（ばらつき）を定量評価する手法						
SPC	統計的工程管理	工程での異常兆候検知と改善、品質の維持・向上を目的とした統計解析手法						
PPAP	生産部品承認プロセス	生産部品承認のための一般的要求事項						

👍 ONE POINT

監査の重要性

IATF 16949では内部監査が義務付けられ、また専門機関による定期的な外部監査も実施されます。監査にあたり、業務プロセスが的確であることのエビデンスが必要とされ、対象部門は事前に十分な準備をしなくてはいけません。業務の実態を把握し、常日頃から必要とされる記録を残し、有効に機能するよう仕事の仕組みを整えることが必要とされます。

Chapter4
11

ソフトウェアに関する品質規格

自動車の開発や生産において年々ソフトウェアの重要度が増しています。自動車業界全体で電子機器／ソフトウェアでの品質を保ち、安全性を保つためにISO 26262、サイバーセキュリティ対策のためにISO/SAE 21434が制定され、標準化が進められています。

ソフトウェアなどの品質確保を目的とした規格「ISO26262」

　自動車ではCASEなどの技術革新に伴い、電子部品が使用されることが多くなり、搭載数が増加しています。例えば、代表的な電子部品である半導体は現在1台当たり数10〜100個程度が搭載されていますが、今後10年で登場する自動車についてはその搭載数が倍増すると予測されています。

　そのような背景を受けて、自動車業界では電子部品およびソフトウェアの品質を担保する重要性が出てきたこともあり、国際規格ISO 26262が制定されました。

　ISO 26262では機能安全が前提となっています。そのためASILによるリスクの分類を行い、搭乗者に危害が及ぶ不具合の発生頻度を低減させ、また生じる危険の程度を抑えるよう、安全目標を設定する点に特徴があります。電子部品、ソフトウェアを扱うサプライヤーにとって、ISO 26262は取得が必須規格となっています。

サイバー攻撃に備える「ISO/SAE21434」

　コネクテッドの発展に伴い、自動車のシステムが高度化し、利便性が向上しています。その一方で、サイバー攻撃やリスクも高まっています。また今後はOTAの普及も見込まれるため、ソフトウェアの品質を担保し、より適切に管理していく必要があります。

　これらの変化に対して安全性を確保するため、国連規制UN-R155/156が定められ、世界各国でも法規制が開始される見込みとなっています。この法規に適合する自動車の開発／製造に向けて、国際標準規格ISO/SAE 21434が規定され、サプライヤーを含めた自動車業界全体でISO/SAE 21434の取得に向けた取り組みが進められています。

機能安全
ある機能・部品が故障したとしても、システムの安全性を確保するという考え方

ASIL
Automotive Safety Integrity Level、自動車安全水準のこと

UN-R155/156
UN-R155は車両のサイバーセキュリティおよびサイバーセキュリティ管理システム（CSMS）、UN-R155は車両のソフトウェアアップデートおよびソフトウェアアップデート管理システム（SUMS）について規定している

▶ ISO 26262 の構成

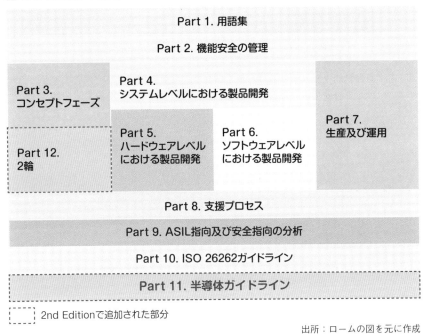

Part 1. 用語集

Part 2. 機能安全の管理

Part 3.
コンセプトフェーズ

Part 4.
システムレベルにおける製品開発

Part 12.
2輪

Part 5.
ハードウェアレベル
における製品開発

Part 6.
ソフトウェアレベル
における製品開発

Part 7.
生産及び運用

Part 8. 支援プロセス

Part 9. ASIL指向及び安全指向の分析

Part 10. ISO 26262ガイドライン

Part 11. 半導体ガイドライン

⌐¬ 2nd Editionで追加された部分
L_」

出所：ロームの図を元に作成

▶ 日本でのサイバーセキュリティ法規規制

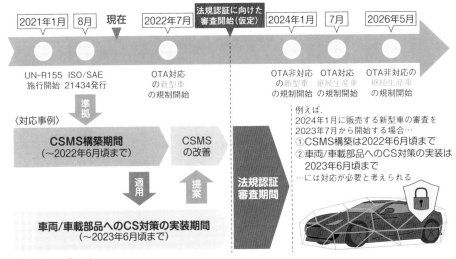

2022年7月以降の一部車両から、CS※法規による規制が開始

2021年1月　8月　現在　2022年7月　法規認証に向けた審査開始（仮定）　2024年1月　7月　2026年5月

UN-R155
施行開始

ISO/SAE
21434発行

OTA対応
の新型車
の規制開始

OTA非対応
の新型車
の規制開始

OTA対応
継続生産車
の規制開始

OTA非対応の
継続生産車
の規制開始

準拠

〈対応事例〉

CSMS構築期間
（～2022年6月頃まで）

CSMS
の改善

適用

提案

法規認証
審査期間

例えば、
2024年1月に販売する新型車の審査を
2023年7月から開始する場合…
①CSMS構築は2022年6月頃まで
②車両/車載部品へのCS対策の実装は
　2023年6月頃まで
…には対応が必要と考えられる

車両/車載部品へのCS対策の実装期間
（～2023年6月頃まで）

※CS＝Cyber Security

出所：ヴィッツの図を元に作成

Chapter4
12

品質を守るための仕組み

自動車に求められる高い品質を実現するために、自動車業界ではさまざまな品質管理手法が取り入れられています。品質を管理すると同時に改善の道具としても使用され、日本の自動車業界の強みの１つとなっています。

品質異常を発生させない仕組み

　自動車業界では不良はppm単位で管理され、品質不具合を発生、また流出させないためにさまざまな品質管理手法が取り入れられており、同時に仕事の仕組みとして標準化されています。

　製造現場での代表的な品質管理手法としてQC7つ道具、新QC7つ道具があります。この手法によってデータを「見える化」し、品質不具合の発生を防止するとともに、現場で起きている不具合の原因を分析し、対策を打つことで不良率の削減、生産性の向上にも繋げています。

　現場主体のボトムアップで行う、こうした改善は高い品質を実現し、日本自動車業界の競争力の源泉となっています。

異常発生の未然防止と発生後の対策

　品質異常が発生すると、①機械の損失、②応急コストの損失、③恒久コストの損失が発生し、多大なコストが必要となります。損失を発生させないため、製品を生産する前段階で品質が作りこめるよう、十分な検討を行う必要があります。

　品質未然防止手法として、開発段階では設計FEMA（DRBFM）、製造段階では工程FMEA（PFMEA）があります。これらの手法を活用することで、量産開始前に十分な検証を行い、良品を生産し、異常品を流出させない生産体制を構築しています。

　また品質不具合が発生した際の解析手法としてなぜなぜ分析やFTAがあります。その場しのぎの応急処置ではなく、真因を特定して恒久的な対策を行う、またその対策を他の生産ラインや開発現場へ横展開することで、以降に起こりうる同じ異常を撲滅し、企業全体で品質の向上に努めるようになっています。

---

ppm
Parts Per Million、「100万分の１」という割合を表す

QC7つ道具
生産活動によって蓄積された定量的なデータを整理／分析するための手法

新QC7つ道具
数値化が困難な特性や要因などの定性的なデータを整理／分析するための手法

FTA
Fault Tree Analysis、故障の木解析とも呼ばれる。不具合などの望ましくない仮定から始め、それにつながる要因を分析していき、弱い部分を発見・強化していく手法

▶ QC7つ道具と新QC7つ道具

QC7つ道具
- ●パレート図
- ●特性要因図
- ●グラフ
- ●ヒストグラム
- ●散布図
- ●管理図
- ●チェックシート

新QC7つ道具
- ●親和図法
- ●連関図法
- ●系統図法
- ●マトリックス図法
- ●アローダイアグラム
- ●PDPC法
- ●マトリックスデータ解析法

出所：日研トータルソーシングの図を元に作成

▶ パレート図の例

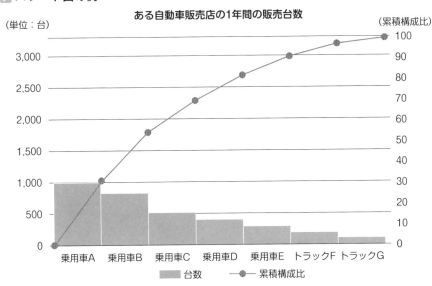

ある自動車販売店の1年間の販売台数

（単位：台）　　　　　　　　　　　　　　　　　　（累積構成比）

凡例：■ 台数　●— 累積構成比

横軸：乗用車A　乗用車B　乗用車C　乗用車D　乗用車E　トラックF　トラックG

▶ 特性要因図の例

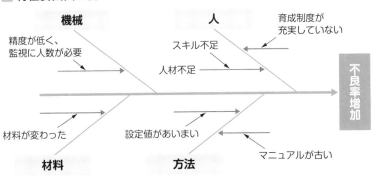

機械
精度が低く、監視に人数が必要

人
スキル不足
人材不足
育成制度が充実していない

材料
材料が変わった

方法
設定値があいまい
マニュアルが古い

不良率増加

「良い製造ライン」とは

自動車は装置産業であり、事前に大規模な工場や設備への投資を行い、大量の製品を作ることで、費用回収、利益を上げるビジネスモデルとなっています。そのためにどのような設備投資を行うかは経営上極めて重要です。

では、どのような製造ラインが良いラインといえるのでしょうか？

私たちは一般的に「最新鋭の機能を織り込んだ全自動で生産出来高の高いライン」が良いラインだと思いがちです。しかし、すべての場合で当てはまるかというとそんなことはありません。

最新鋭の機能を織り込んだ設備は初期の投資費用が割高になり、また全自動にした場合、時間ごとの生産数の調整は難しくなるため、需要の変動に応じた弾力性がなくなります。1日に1000個作っても、500個作っても設備投資の償却費、固定費は同じになり、生産の落ち込むことによって、製品あたりのコストは大きく上がってしまうのです。

ラインに人が入り、その人数によって生産の出来高を変えることがで

きれば、初期の設備投資を少なくでき、また需要の変動に応じた生産能力に変更が可能となるので、製造コストのばらつきを抑えることができます。

またラインを新設するのではなく、設備の償却が終わった古いラインの改造して生産を継続することができれば、大幅に設備投資を抑えることができ、製品1つあたりの固定費を減らすことができます（古いラインを活用しすぎることが時間当たりの生産性を上げられない問題を産んでいることも事実ですが）。

つまり「良い製造ライン」とは「儲かる製造ライン」といえます。作る製品の特徴や必要とされる生産能力、需要変動への対応性、既存の設備活用を含めた工程設計が必要になるのです。

自動車業界ではこのような設備投資を生産技術部門が担当しており、トップメーカーは世界の中でも有数の競争力を持っています（日本の部品メーカー最大手のデンソーは代々自社の生産技術出身者が社長を歴任したことでも有名です）。

第 5 章

主要な
自動車部品メーカー

自動車部品メーカーは、トヨタ系、ホンダ系、日産自動車系などのケイレツのメーカーとケイレツには属さない独立系メーカーがあり、完成車メーカーとともに成長を続けてきました。本章では、日本の主な自動車部品メーカーと海外の部品メーカーについて解説します。

部品メーカーの全体像

日本の自動車メーカーは「ケイレツ」を軸としたピラミッド構造が特徴的で、完成車メーカーごとに構成が異なっています。自動車関連企業は非常に数が多く、階層が下がるほど事業規模は小さくなり、中小企業が多くなります。

「ケイレツ」と「独立系」

日本の自動車部品メーカーは、大きくケイレツと独立系の2種類に分けることができます。ケイレツは完成車メーカーと資本提携関係を結んだり、または売り上げが特定の完成車メーカーに依存している部品メーカーを指します。独立系は、それ以外の完成車メーカーとは資本提携関係などがなく、売り上げも特定の完成車メーカーに依存していない部品メーカーを指します。

トヨタはケイレツ部品メーカーを多く抱えており、グループ内での売り上げが大きい一方、日産自動車やマツダは1990年代後半から2000年代にかけて、ケイレツにあった多くの部品メーカーと資本提携関係を解消したこともあり、現在では海外部品メーカーを含めたケイレツ外の幅広いサプライヤーから部品を購入しています。

ピラミッド構造の特徴

ケイレツはピラミッド構造が特徴で、一般的に階層が低くなる（Tier1→Tier2→Tier3）ほど企業規模は小さくなり、二次サプライヤー以降の多くは、下請法の対象となる中小企業となっています。

部品メーカーに原材料を納入している鉄鋼／半導体／化学メーカーなども、この構造上は階層の低いサプライヤーに位置付けられますが、自動車専業ではなく、売り上げ比率も低いため、一般的には自動車部品メーカーには含まれません。

2010年代までは完成車メーカーの発言力が絶対的であり、価格交渉や納期において強い権限を持っていました。しかし近年の原材料高騰や半導体不足を受けて、最近はサプライヤーの発言力が増して力関係は変わりつつあります。

下請法
正式名称は「下請代金支払遅延等防止法」。親事業者による下請事業者に対する優越的地位の濫用行為を取り締まるために制定された法律

▶ 日本における主要な部品メーカーの位置づけ

日産自動車系

- ジヤトコ
- マレリ

トヨタ系

主要7社

- デンソー
- アイシン
- 豊田自動織機
- ジェイテクト
- 豊田合成
- トヨタ紡織
- 愛知製鋼

- 小糸製作所
- 東海理化
- フタバ産業
- 愛三工業

ホンダ系

- 日立Astemo
- テイ・エス テック
- 武蔵精密工業

独立系

- 矢崎総業
- 日本精工
- スタンレー電気
- パナソニック
- 住友電工
- NTN
- ミツバ
- ニデック
- NOK
- ユニバンス

タイヤ

- ブリヂストン
- 住友ゴム
- 横浜ゴム

Chapter5
02
デンソー

デンソーは日本最大、世界でも有数のトヨタ系メガサプライヤーです。製造している部品は、電装品、熱機器やエンジン、駆動系など多岐にわたり、半導体も自社で生産しています。

日本のトップ部品メーカー「デンソー」

デンソーはトヨタ系部品メーカーの筆頭で、売上高は5兆円を超え国内最大、世界でも第2位の規模を誇る自動車部品のメガサプライヤーです。1949年にトヨタから独立する形で日本電装として誕生しました。その事業は7つのコア事業に分かれており、自動車部品ではエンジン部品から電装品、熱機器など手掛ける部品は多岐に渡ります。また自動車向け半導体も自社生産をしており、半導体メーカー**TSMC**の熊本工場にも出資しています。

自動車の技術革新が進む中で電動化、自動運転に注力し、インバーターや熱マネジメントシステム、センサーを中心に売り上げを伸ばす成長戦略を打ち出しています。また自動車で培った知見を基に新事業（農業／物流／**FA**など）への参画も積極的に行っています。

トヨタケイレツの強みと独自性

デンソーはトヨタ系部品メーカーの中核として、グループ内で連携を深め、競争力を高めています。2020年にはトヨタ広瀬工場をデンソー広瀬製作所として移管し、電子部品の生産事業、量産開発機能を集約しました。

またトヨタグループ内の企業と J-QuAD DYNAMICS を設立し、ケイレツの関係強化を進めています。

一方でトヨタ系列でありながら、独立性が高いこともデンソーの特徴です。トヨタが売上に占める割合は約50％に留まり、海外を含めた多くの完成車メーカーと取引があります。歴代の社長もトヨタからの出向ではなく、一貫してデンソー社内から選出されています。

TSMC
Taiwan Semiconductor Manufacturing Company、台湾の世界最大の半導体受託製造企業（ファウンドリ）

熊本工場
TSMC の子会社であるJASM（Japan Advanced Semiconductor Manufacturing）。デンソーはソニーセミコンダクタソリューションズとともにJASMに出資

FA
Factory Automation、生産工程の自動化を図るシステムの総称

J-QuAD DYNAMICS
デンソー、アイシン精機、アドヴィックス、ジェイテクトが共同で立ち上げた自動運転ソフトウェア開発会社

▶ デンソーの事業構成

注力4分野

電動化	先進安全/自動運転	コネクティッド	非車載事業（FA/農業）
エレクトリフィケーション			インダストリアルソリューション
パワトレイン			フードバリューチェーン
サーマルシステム			
モビリティエレクトロニクス			
先進デバイス			先進デバイス

出所：「デンソー統合報告書 2022」を元に作成

▶ デンソーの取引先別売上高（2023年3月期）

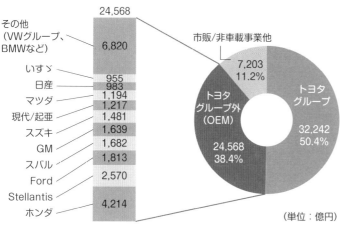

24,568

その他（VWグループ、BMWなど）　6,820

いすゞ　955
日産　983
マツダ　1,194
現代/起亜　1,217
スズキ　1,481
GM　1,639
スバル　1,682
Ford　1,813
Stellantis　2,570
ホンダ　4,214

市販/非車載事業他　7,203　11.2%

トヨタグループ外（OEM）　24,568　38.4%

トヨタグループ　32,242　50.4%

（単位：億円）

出所：デンソー決算資料を元に作成

アイシン／豊田自動織機

アイシンはパワートレインや車体が主力事業で、トヨタ系部品メーカーの中でデンソーに次ぐ売上高を上げています。豊田自動織機はトヨタの源流となったメーカーです。

世界でも有数のメガサプライヤー「アイシン」

アイシンはトヨタ系部品メーカーで、売上高はデンソーに次いで国内第2位、世界でも第5位の日本を代表するメガサプライヤーです。パワートレイン（トランスミッション、電動冷却ポンプなど）、走行安全（ブレーキなど）、車体（パワースライドドア、サンルーフなど）が自動車分野での主力事業です。

電動化への対応にも力を入れており、特に電気自動車の駆動源となるeアクスルではデンソーと共同でBluE Nexusを立ち上げ、国内のみならず海外メーカーへの拡販を目指し、開発を進めています。

自動車以外の事業ではエナジーソリューション（家庭用発電システム）、CSS（モビリティサービスの提供）があり、企業だけでなく一般消費者向けの製品、サービスも提供しています。

トヨタの源流「豊田自動織機」

源流
トヨタ自動車は豊田自動織機の自動車部門が独立して設立した企業

豊田自動織機はトヨタグループの源流となる企業です。自動車部品ではトヨタ向けのエンジンを生産し、またエアコン向けのコンプレッサーは世界トップシェアを誇っています。電子機器の開発も進め、ハイブリッド車に使用される車載用電池の生産も行っています。部品だけでなく、車両の生産も事業として展開し、トヨタの主力車種「RAV4」の生産を担当しています。

EC
Electronic Commerce、eコマースまたは電子商取引とも呼ばれる。一般的には、インターネットを利用した小売ビジネスを指す

豊田自動織機は自動車以外の、産業機器での売上高／利益が大きいことが特徴です。世界トップシェアのフォークリフトでの利益率は非常に高く、産業機器事業が売上高の2/3を占めています。またECが増加し、配送業務が増加、人手不足が問題になる中で、豊田自動織機は産業機器を売るだけでなく、物流の課題解決にむけたソリューション事業を提供し、売上を伸ばしています。

▶ アイシンの事業別売上比率（2023年3月期）と製品

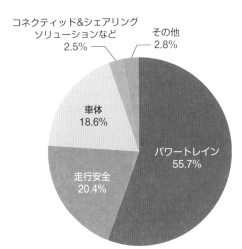

出所：アイシン決算資料を元に作成

eアクスル

出所：アイシン

回生協調ブレーキシステム

出所：アイシン

▶ 豊田自動織機の事業別売上比率（2023年3月期）と製品

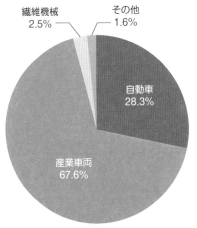

出所：豊田自動織機決算資料を元に作成

フォークリフト
TOYOTA L&F

出所：豊田自動織機

Chapter5 04

ジェイテクト／豊田合成

ジェイテクト、豊田合成はトヨタと出資関係にあるケイレツのサプライヤーです。ジェイテクトはステアリング、駆動部品を中心とした事業を展開、豊田合成は合成樹脂やゴム製品の製造などを主要事業としています。

ステアリング世界シェアトップ「ジェイテクト」

　ジェイテクトは、軸受・ステアリングを生産していた光洋精工と、工作機器を製造していた豊田工機が合併して2006年に誕生しました。電動ステアリングを世界で初めて開発し、2022年時点でステアリングの世界シェアトップとなっています。

　また自動車部品としては駆動部品も事業として展開し、ケイレツのトヨタグループ内で再編を進め、売り上げを伸ばしています。自動車部品以外では軸受事業でも国内大手の一角をなし、工作機械事業の売り上げが多いことも特徴です。

　その他にも、自動運転の高度化に伴い、今後導入が進むと予測されている**ステアバイワイヤ**や、カーボンニュートラル対応に向けた蓄電池である、**リチウムイオンキャパシタ**の開発に力を注いでいます。

樹脂製品のトップメーカー「豊田合成」

　豊田合成は主に合成樹脂やゴム製品を使用した自動車部品を製造するトヨタ系列の自動車部品メーカーです。自動車関連では内外装部品（インストルメントパネル、ラジエータグリルなど）、**ウェザストリップ**製品、機能部品（ホース、タンクなど）、セーフティシステム部品（ハンドル、エアバッグなど）などの製造が主力となっています。また青色発光ダイオードの開発、実用化を進めた企業としても知られています。

　今後の戦略として、売り上げ増のために今後搭載率の増加が見込まれる新興国のエアバック需要の取り込み、これまでに培って来たゴム、樹脂製品の知見を基に、既存部品の樹脂化による軽量化や燃料電池車の水素タンクの開発を進めています。

ステアバイワイヤ
自動車のタイヤとハンドルを物理的につなぐことなく、電気信号でタイヤ角を変えられる技術

リチウムイオンキャパシタ
繰り返し充放電可能な蓄電池で、リチウムイオン電池と比較して容量は少ないが充放電が速いのが特徴

ウェザストリップ
ドア枠や窓枠に装着して隙間をふさぎ、雨・風・騒音・ほこりなどを遮断する部品

▶ ジェイテクトの事業別売上比率（2023年3月期）と製品

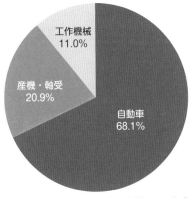

出所：ジェイテクト決算資料を元に作成

電動パワーステアリング（EPS）

出所：ジェイテクト

▶ 豊田合成の事業別売上比率（2022年度）と製品

インストルメントパネル

出所：豊田合成

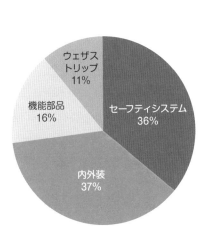

出所：豊田合成決算資料を元に作成

コンソールボックス

出所：豊田合成

Chapter5 05

トヨタ紡織／愛知製鋼

トヨタ紡織はシートなどの自動車内装品メーカーで国内最大、世界でも最大手の部品メーカーです。愛知製鋼は特殊鋼を生産する鉄鋼メーカーで、自動車メーカーに鍛造部品も納入しています。

自動車の内装品が国内トップ「トヨタ紡織」

　トヨタ紡織は、自動車の内装品では国内トップ、世界でも第3位に位置する部品メーカーです。トヨタグループの中で、繊維関連事業を持つのはトヨタ紡織のみであり、繊維の技術を活かしてシート事業、内外装事業、ユニット部品事業の3事業を主に展開しています。シート事業では、自動車以外に鉄道や航空機向けのシートも生産しています。

　自動運転の開発進展により、移動時間の過ごし方が大きく変わると見込まれる中で、インテリアスペースクリエイターとして、安全、安心、快適な車内空間を作るべく、製品やシステムの開発を他社と連携して進めています。

　また、トヨタ向けの販売比率が90％以上と非常に高く、売り上げを伸ばすためにグループ外への販売を拡大させる目標を掲げています。

トヨタ系の特殊鋼メーカー「愛知製鋼」

　愛知製鋼は、トヨタの源流である豊田自動織機の製鋼部門が独立した会社です。トヨタグループ内で唯一の製鋼（電炉）メーカーであり、主に自動車向けの特殊鋼およびその材料を用いた鍛造部品（エンジン、トランスミッション部品など）を生産しています。

　培って来た材料開発での知見を基に、電磁品の事業化を進めており、電動化で成長が見込まれるeアクスルに使用される高機能磁石や高感度の磁気センサーの生産を開始しています。また自社での工程を鍛造後の機械加工領域まで拡大させ、部品の付加価値向上に取り組んでいます。

　5-2〜5-5で解説したメーカーは、主要トヨタグループ7社と呼ばれており、売り上げも非常に大きいTier1サプライヤーです。

電炉
鉄スクラップを原料として電気を用いて鉄鋼を生産する製鋼方法

▶ トヨタ紡織の事業別売上比率（2022年3月期）と製品

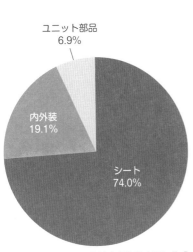

出所：トヨタ紡織統合報告書を元に作成

ユニット部品 6.9%
内外装 19.1%
シート 74.0%

乗用車用シート

出所：トヨタ紡織

ドアトリム

出所：トヨタ紡織

▶ 愛知製鋼の事業別売上比率（2022年3月期）と製品

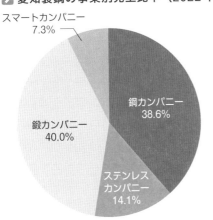

スマートカンパニー 7.3%
鍛カンパニー 40.0%
鋼カンパニー 38.6%
ステンレスカンパニー 14.1%

出所：愛知製鋼統合レポートを元に作成

特殊鋼条鋼

出所：愛知製鋼

121

Chapter5 06

トヨタ系中堅部品メーカー

トヨタ自動車への売上比率が高く、資本関係のある中堅部品メーカー4社を解説します。どのメーカーも各部品の技術力は高く、トヨタグループにおいて欠かすことできない企業です。

トヨタ系中堅部品メーカー4社

小糸製作所は自動車用ランプで世界トップシェア、自動車のみならず航空機や鉄道製品も提供する照明器のサプライヤーです。世界初のLEDヘッドランプ製品化など、照明機器での技術力は高く、その技術を活かし、**ハイビーム可変ヘッドランプ**（ADB）や自動運転で必要となるLiDARの開発を進めています。またバイクでのシェアを伸ばし、売り上げを伸ばす戦略を掲げています。

東海理化は、ウィンカーやワイパーレバーなどの自動車用各種スイッチ、キーロックで国内最大手の部品メーカーで、シートベルトなどの安全部品事業も手掛けています。デジタルキーで培った技術知見から、今後成長が見込まれる**シフトバイワイヤ**の開発に力を入れています。また自動車のスマートキー技術を活用し、スマホで開錠できるデジタルキー事業にも取り組んでいます。

フタバ産業は、自動車のボデーや排気系、燃料系部品を手掛けるサプライヤーです。電動化の進展により、主力の排気系、燃料系部品の縮小が予想されるため、ボデー事業での提案型営業による高付加価値化、電動化の中でも排気系、燃料系部品が残るHEVでのシェア拡大の戦略を打ち出しています。またマフラーでの技術を基に、新規事業として農業関連装置事業を開始しています。

愛三工業は、燃料ポンプや電子制御燃料装置などを生産するエンジン部品の大手サプライヤー。2022年にデンソーから燃料ポンプモジュール事業を譲受して事業統合し、世界シェアトップとなりました。水素供給ユニットや燃料電池車用エアバルブなどの開発を進め、電動化への対応を進めています。また、カーボンニュートラルへの取り組みとしてアンモニア水素発電システムなどの研究も行っています。

ハイビーム可変ヘッドランプ
車載カメラで前方車両を認識し、ヘッドランプの配光を全自動で制御、対向車や前走車に眩しさを与えることなく、常にハイビームでの走行を可能にし、ドライバーの前方視界を良好に保つヘッドランプシステム

シフトバイワイヤ
変速レバーとトランスミッションを機械的に接続することなく、電子制御で車両の変速モードを切り替えること

▶ トヨタ系中堅部品メーカーの売上高・利益（2023年3月期）

（単位：億円、以下切り捨て）

会社名	売上高	営業利益	経常利益	当期純利益
小糸製作所	8,647	468	485	296
東海理化	5,531	166	240	109
フタバ産業	7,080	76	77	105
愛三工業	2,408	136	140	85

▶ 小糸製作所の製品

LEDヘッドランプ

▶ 東海理化の製品

スマートキー

▶ フタバ産業の製品

フロントピラーアッパアウタ

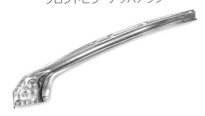

▶ 愛三工業の製品

燃料ポンプ

Chapter5 07

ホンダ系部品メーカー

ホンダは四輪事業（自動車）の採算改善のため、工場の集約や販売車種の削減など事業の見直しを進めています。その中でホンダ系のケイレツサプライヤーは今後の生き残りのため、再編、新規事業への取り組みを進めています。

近年まれにみる大規模な経営統合「日立Astemo」

日立Astemoは、ホンダのケイレツの部品メーカーである日立オートモティブシステムズ、ケーヒン、ショーワ、日信工業の4社が経営統合して2021年に誕生しました。これによって、売上高1兆5,000億円を超え、モーターやエンジン部品などのパワートレイン、ブレーキやステアリングなどのシャーシ部品など幅広い分野を手掛けるメガサプライヤーとなりました。

また日立Astemoは自動運転、電動化分野に積極的に投資しています。特に電動化でのモーターとインバーター、「Lumada Ready」（自動運転／先進運転支援システム）の開発に力を入れており、レーダーや自動運転コントロールユニットの車載品だけでなく、OTAが可能なソフトウェアの提供も行っています。

Lumada Ready
世界初の自動運転レベル3を実現したホンダ「レジェンド」に搭載された

新規開拓を進めるホンダケイレツサプライヤー

テイ・エス テックは、シートや内装部品を主力事業としたサプライヤーです。ホンダ車の約6割で採用され、自動車だけでなく2輪車向けのシートも生産しています。自動運転化が進み、車内での過ごし方が変容されると予測される中で、「キャビン全体をコーディネートし、お客さまへ提供する」を目的として異業種との業務提携やスタートアップ企業との共同開発を進めています。

武蔵精密工業は、シャフトやギアなどの機構部品が主力事業で、二輪を含めてホンダ向けの売り上げが約50％を占めています。ギアでの高い技術力を活かし、電動車向けの小型、軽量、高耐久の減速機部品を開発し、売上を伸ばしています。新規事業の創出に積極的で、社内発スタートアップ事業や海外ベンチャーへの出資を進めています。

▶ 日立 Astemo の地域別売上比率（2022年度）と製品

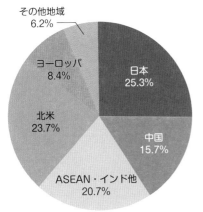

その他地域 6.2%
ヨーロッパ 8.4%
北米 23.7%
ASEAN・インド他 20.7%
日本 25.3%
中国 15.7%

インバーター

出所：日立 Astemo

出所：日立製作所決算資料を元に作成

▶ テイ・エス テックの売上と利益の推移と製品

（単位：百万円）

	2020年 3月	2021年 3月	2022年 3月	2023年 3月
売上高	359,682	346,149	349,958	409,200
営業利益	26,326	26,742	22,998	15,257
税引き前 利益	28,751	36,247	25,839	18,692
当期利益	15,680	10,922	8,119	3,467

出所：テイ・エス テック決算資料を元に作成

フロントシート

出所：テイ・エス テック

▶ 武蔵精密工業の地域別売上比率（2023年3月期）と製品

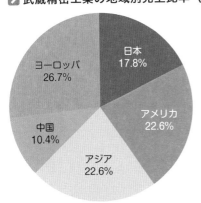

ヨーロッパ 26.7%
中国 10.4%
アジア 22.6%
日本 17.8%
アメリカ 22.6%

デファレンシャルギヤ

出所：武蔵精密工業

出所：武蔵精密工業決算資料を元に作成

Chapter5 08

日産自動車系部品メーカー

日産自動車は他社と比べ出資関係を伴ったケイレツ部品メーカーが限られています。出資関係のある数少ないサプライヤーの中でジヤトコはトランスミッション部品で高い技術力を持ち、「技術の日産」を支える重要なサプライヤーです。

ゴーンショックでのケイレツ解体

日産自動車は、資本出資関係にあるケイレツの部品メーカー数が少なく、現在は2社のみです。これは1999年に社長に就任したゴーン氏による構造改革で、サプライヤーとの関係を見直し、出資関係の解消を進めたためです。完成車メーカー御三家の中で、日産自動車は垂直統合型、ケイレツでのサプライヤーとの結びつきが薄いことが特徴です。

完成車メーカー御三家
トヨタ、ホンダ、日産自動車を指す

CVTのトップサプライヤー「ジヤトコ」

ジヤトコは、日産自動車の連結子会社で変速機（トランスミッション）を主力事業とし、CVTでは世界シェア4割を占めるサプライヤーです。CVTで小型車から大型車までフルラインナップしているのはジヤトコのみで、日産自動車のみならず、国内他社や海外メーカーへ製品を納入しています。日産自動車とは共同で研究所を開設し、電動化対応のパワートレイン開発を進めており、2030年までにeアクスルで電動車向けユニットを500万台まで拡大する計画を打ち出しています。

CVT
Continuously Variable Transmission、歯車（ギア）を使わずにベルトとプーリー（滑車）を用いて、回転数を変化させる変速機

「マレリ（カルカソニックカンセイ）」の倒産

日産自動車の連結子会社で、内装／電子／排気系部品を手掛けていたカルソニックカンセイは、2017年にヨーロッパ部品メーカーのマレリに買収されました。その後もルノーグループを中心に製品を納入してきましたが、コロナ禍で債務状況が悪化し、2022年に経営破綻しました。負債額1兆円を超え、製造業では過去最大規模の倒産となりました。現在法的整理が決定し、事業再建が進められています。

ルノーグループ
フランスのルノー、日本の日産自動車、三菱自動車など

▶ ジャトコの製品ラインナップページ

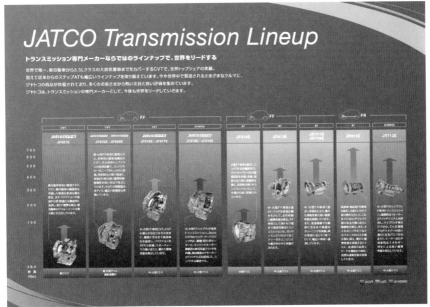

出所：ジャトコ商品案内

▶ マレリのこれまでの経緯

年月	出来事
1938年	日本ラヂエーター製造設立
1952年	日本ラヂエーターに社名変更
1956年	関東精器設立
1988年	日本ラヂエーターからカルソニックに社名変更
1991年	関東精器からカンセイに社名変更
2000年	カルソニックとカンセイが合併し、カルソニックカンセイが発足
2005年	日産自動車の連結子会社となる
2017年	日産自動車がKKRに全株式を売却
2018年	カルソニックカンセイとマニエッティ・マレリが経営統合
2019年	マレリに社名変更
2022年	民事再生法の適用を申請し、再建計画案が可決

出所：マレリホームページ、毎日新聞の記事を元に作成

Chapter5
09

矢崎総業／住友電工／NOK

日本の自動車業界は、垂直統合型のサプライチェーン／関係が特徴ですが、独立系の自動車部品サプライヤーも多数存在します。独立系の中でも売り上げの多いサプライヤーについて解説します。

ワイヤーハーネス「矢崎総業」「住友電気工業」

ワイヤーハーネス
自動車内の電子機器をつなぎ、電力や信号を伝える役割を持つ組電線を指す。人間に例えると、血管や神経に相当する重要な部品

　矢崎総業は**ワイヤーハーネス**（組電線）で世界トップシェアを誇る独立系サプライヤーです。非上場企業ながら売り上げは約1兆7,992億円（2022年）と非常に大きく、国内全自動車メーカーに採用されています。電動化が進む中で高電圧に対応した製品を開発し、コネクテッド、自動運転の対応に向けた研究を進めています。

　住友電気工業もワイヤーハーネスの大手サプライヤーで、世界シェア2割超を誇ります。売り上げの約半分が自動車分野で、電線や光ファイバーなどの事業でもシェアが高い企業です。

　ワイヤーハーネスでは軽量化のため、従来の銅からアルミへの転換が進められています。住友電気工業のアルミハーネスは年々採用が広がっています。

　ワイヤーハーネスの生産では人力による手作業が多いため、人件費の安い東南アジアや東ヨーロッパに工場が多く建設されていました。しかし、コロナ禍やウクライナ侵攻によって工場停止などの影響を受けたため、現在は生産工程の自動化や生産拠点の見直しが進められています。

シールのリーディングカンパニー「NOK」

オイルシール
油が漏れないように封じる機能部品。自動車のみならず幅広い機械類で使用されている

　NOKは**オイルシール**で国内シェア70％、海外シェア50％を占めるサプライヤーです。オイルシールはエンジンやトランスミッションに必要不可欠な部品であり、1台当たり40個以上使用されています。

　またNOKでは電子機器用のフレキシブル基盤でも高いシェアを占めています。低燃費に寄与する低フリクションシールや電気自動車向けシールやグリースなどの新製品・新技術の開発を進め、自動車事業を拡大する計画を掲げています。

▶ 矢崎総業の地域別連結売上比率（2022年度）と製品

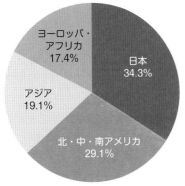

日本 34.3%
北・中・南アメリカ 29.1%
アジア 19.1%
ヨーロッパ・アフリカ 17.4%

出所：矢崎総業グループ情報を元に作成

車両に使用されるワイヤーハーネス

出所：矢崎総業

▶ 住友電工の事業別売上比率（2022年度）と製品

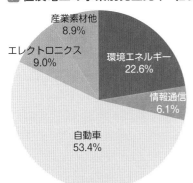

環境エネルギー 22.6%
情報通信 6.1%
自動車 53.4%
エレクトロニクス 9.0%
産業素材他 8.9%

出所：住友電工決算資料を元に作成

アルミワイヤーハーネス

出所：住友電工

▶ NOKの事業別売上比率（2023年3月期）と製品

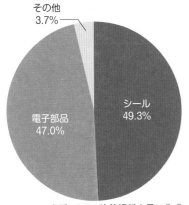

その他 3.7%
シール 49.3%
電子部品 47.0%

出所：NOK決算資料を元に作成

オイルシール

出所：NOK

日本精工／NTN／KYB

ここでは独立系部品メーカーとして、ベアリングを中心に展開している日本精工とNTN、また油圧技術を活かしてショックアブソーバーに強みのあるKYBについて解説します。

国内ベアリング大手「日本精工」「NTN」

　日本精工(NSK)とNTNは、軸受(ベアリング)を主力事業とするサプライヤーです。産業機械の米といわれるベアリングは自動車にも不可欠な部品で、1台当たり100〜150個が搭載されています。

　日本精工（NSK）は、ベアリング国内最大手、自動車部品では電動パワーステアリングや電動ブレーキ用のボールねじを生産しています。また独立系メーカーとして海外メーカーとの協業を進めており、VolkswagenのEV向けのパワーステアリングを受注しています。電動車向けの低トルク／高回転／軽量化を進めた軸受の販売を拡大し、売り上げを伸ばす計画を掲げています。

　NTNはベアリングを部品として使用する自動車用ハブで世界トップ、ドライブシャフトで世界2位のシェアを持つメーカーです。電動化への対応として、モーターの高回転に対応したベアリングを投入し、油圧から電動化制御への変化に合わせ、電動モータ／アクチュエータの研究を進めています。またIoTを活用し、センサーを内蔵し、状態が監視できるベアリングの開発を進めています。

油圧機器のトップメーカー「KYB」

　KYBは油圧技術に強みを持つサプライヤーで、自動車では自動車の乗り心地を左右する、サスペンションに欠かすことのできないショックアブソーバー（衝撃緩衝器）で世界2位のシェアを占めています。

　自動車以外では、産業機器（パワーショベルなど）向けのシリンダーでも高いシェアを持ちます。油圧技術を応用しながら、電子制御部品への移行を進めると共に、部品の一体化を進め、モジュールとして販売していく計画を進めています。

ボールねじ
ねじ、ナット、ボールなどから構成され、モータなどの回転運動を直線運動に変換する部品

自動車用ハブ
車体にホイールを装着するための部品。車重を支える必要があり、ベアリングと周辺部品から構成される

ドライブシャフト
エンジンによって生み出された駆動力を車輪に伝えるための部品

ショックアブソーバー
「ダンパー」とも呼ばれ、走行時の衝撃を吸収し、車体の振動を軽減する部品

▶ 日本精工の事業別売上比率（2023年3月期）と製品

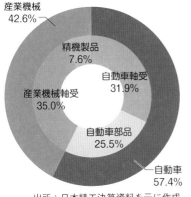

産業機械
42.6%

精機製品
7.6%

自動車軸受
31.9%

産業機械軸受
35.0%

自動車部品
25.5%

自動車
57.4%

出所：日本精工決算資料を元に作成

ブレーキシステム用ボールねじ

出所：日本精工

▶ NTNの事業別売上比率（2023年3月期）と製品

補修市場向け
17.0%

産業機械市場向け
18.0%

自動車市場向け
65.0%

出所：NTN決算資料を元に作成

ハブベアリング

出所：NTN

▶ KYBの事業別売上比率（2022年度）と製品

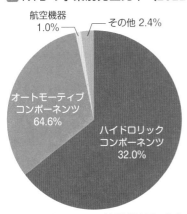

航空機器
1.0%

その他 2.4%

オートモーティブ
コンポーネンツ
64.6%

ハイドロリック
コンポーネンツ
32.0%

出所：KYB決算資料を元に作成

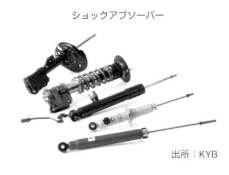

ショックアブソーバー

出所：KYB

Chapter5
11

スタンレー電気／ミツバ／ユニプレス

ここでは、独立系部品メーカーとしてランプが主力のスタンレー電気、ワイパーが主力のミツバ、プレス加工に強みのあるユニプレスについて解説しています。

🔵 自動車向けランプ大手「スタンレー電気」

スタンレー電気は、自動車向けランプが主力のサプライヤーで、バイク向けや電子機器のバックライトの製品も手掛けています。ホンダ向けの製品が全体の4割を占めますが、他の自動車メーカーとも取引があります。また部品メーカーとしては営業利益率が高く、財務状況が優れていることも特徴です。高い光学技術を基にランプの小型化や多機能化を進めており、またLEDやセンサー部品の拡充を進め、自動車部品以外を含めた市場開拓に取り組んでいます。

🔵 ワイパーに強みを持つ「ミツバ」

ミツバは自動車の電装部品、主にワイパーやエンジンスターター用モーターが主力事業のサプライヤーです。国内ではホンダや日産自動車向けが中心となっています。採算性改善のため、国内工場の閉鎖や、工場稼働率の向上を進めており、また電動化に対応した新製品の開発や、中国、インド向けの拡販で売上増を実現する計画を掲げています。今後成長が見込まれる熱マネジメント、自動運転、小型モビリティの3分野での新商品開発も進めています。

🔵 日産主力のプレスメーカー「ユニプレス」

ユニプレスは車体、トランスミッション、樹脂部品を中核とするプレス加工部品の国内最大手サプライヤーです。かつては日産自動車と出資関係にあり、現在でも売り上げの8割は日産自動車向けが占めています。強度の高い鋼材成型技術に強みがあり、鋼材メーカーと協同し軽量化などの開発を行っています。今後は日産自動車以外のメーカーへの拡販や樹脂やトランスミッション部品の研究開発で売り上げを伸ばす計画を掲げています。

プレス加工
金型の間に素材をはさみ、強い力を加えることで、素材を成形、塑性加工すること。自動車では一般的に鋼材がプレス加工され、車体部品が作られることが多い

▶ スタンレー電気の事業別売上比率（2023年3月期）と製品

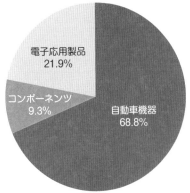

電子応用製品 21.9%
コンポーネンツ 9.3%
自動車機器 68.8%

LEDヘッドランプ

出所：スタンレー電気

出所：スタンレー電気決算資料を元に作成

▶ ミツバの事業別売上比率（2023年3月期）と製品

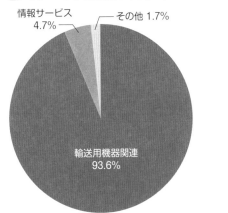

情報サービス 4.7%
その他 1.7%
輸送用機器関連 93.6%

フロントワイパーシステム

出所：ミツバ

出所：ミツバ決算資料を元に作成

▶ ユニプレスの地域別売上比率（2023年3月期）と製品

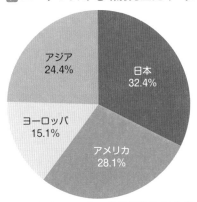

アジア 24.4%
日本 32.4%
ヨーロッパ 15.1%
アメリカ 28.1%

車体プレス部品

出所：ユニプレス

出所：ユニプレス決算資料を元に作成

Chapter5
12

ブリヂストン／住友ゴム／横浜ゴム／TOYO TIRE

タイヤは自動車の走行を支えるとても重要な部品です。ここでは、国内大手のブリヂストン、住友ゴム、横浜ゴム、TOYO TIRE について解説します。

📍 国内タイヤメーカー大手4社

　2022年の自動車タイヤの生産実績は約1億3,245万本で、そのうち新車用タイヤは約3,661万本を占めています。自動車メーカー向けよりも市販向けの販売割合が多いのが、タイヤの特徴といえます。

　ブリジストンは国内最大手、世界でも第2位のシェアを誇り、海外生産比率が70％強、販売比率は80％を超えています。高インチタイヤやブランドの高級化に力を入れ、売り上げを伸ばしています。また採算性の悪いタイヤ以外の自動車部品事業を売却するなど、積極的な事業の選択と集中を進めています。

　住友ゴムは国内第2位、世界第5位のサプライヤーです。自動車タイヤ以外にスポーツ事業や産業ゴム製品も手掛けています。急激に成長している中国の新興EVメーカーへの営業を強化し、すでに数社での採用が決まっています。またタイヤのコンディションや路面状況を検知する**センシングコア**を使ったソリューションビジネスの提供を開始するなど、新規事業を開拓しています。

　横浜ゴムは国内第3位、スポーツ向けや低燃費など高付加価値のタイヤに強いサプライヤーです。高級車への新車装着拡大を計画の1つに掲げ、SUVや冬用タイヤのカテゴリに注力しています。また自動車以外の農機や産業機械向けのタイヤ部門を強化しており、海外企業の買収を行い、事業規模を拡大しています。

　TOYO TIRE は国内第4位、アメリカでのSUV向け事業に強みを持つサプライヤーです。タイヤ以外でも自動車の振動を抑える防振ゴムなどを手掛けています。近年は人件費の安いセルビアに初のヨーロッパ工場を建設し、世界展開を強化しています。一方、非採算事業の売却を進めており、主力事業であるタイヤ事業と他自動車部品を連携させた受注拡大を推し進めています。

センシングコア
自動車のタイヤやエンジン情報を解析してタイヤの空気圧低下や摩耗量、路面状況などを検知することができるソフトウェアシステム

SUV
Sport Utility Vehicle、スポーツ用多目的車

▶ 自動車タイヤの生産／出荷／在庫実績（2022年）

（単位：千本）

	トラック・バス用	小形トラック用	乗用車用	建設車両用	産業車両用	その他
生産	10,673	21,975	94,790	477	366	4,172
国内出荷	5,965	16,046	69,718	159	497	1,731
輸出出荷	4,728	5,956	27,260	372	43	2,743
工場在庫	315	657	3,459	22	55	267

注：その他は、農業機械用、二輪自動車用、運搬車用の合計。ゴム量にはフラップ・リムバンドも含む。
出所：日本自動車タイヤ協会の資料を元に作成

▶ 国内タイヤメーカー4社の概要

	ブリヂストン	住友ゴム (DUNLOP)	横浜ゴム	TOYO TIRE
創業年	1931年	1909年	1917年	1945年
資本金	1,263億円	426億5,800万円	389億900万円	559億3,500万円
従業員数（連結）	12万9,260人 (2022/12)	4万365人 (2022/12)	2万8,468人 (2022/12)	1万1,744人 (2022/12)
売上収益（連結）	4兆1,101億円 (2022年度)	1兆987億円 (2022年度)	8,605億円 (2022年度)	4,972億円 (2022年度)
営業利益（連結）	3,004億円 (2022年度)	150億円 (2022年度)	689億円 (2022年度)	440億円 (2022年度)
主なタイヤブランド	ECOPIA REGNO BLIZZAK	ENASAVE VEURO WINTER MAXX	BLUEARTH ADVAN iceGUARD	TRANPATH PROXES OBSERVE GIZ2

▶ タイヤ（BluEarth-GT AE51）

出所：横浜ゴム

▶ スタッドレスタイヤ（BLIZZAK VRX3）

出所：ブリヂストン

パナソニック／Nidec

国内の大手電機メーカーでは自動車部品も手掛けている企業があり、その売上高は年々拡大しています。他事業での技術力を活かした自動車部品事業の拡大を各社進めています。

車載システムと電池を展開「パナソニック」

パナソニックは、自動車事業を手がけるパナソニックオートモーティブシステムズを子会社として持っており、その売上高は1兆円を超えています。この会社では**コクピットシステム**や車載カメラ、カーナビなどを主力製品として展開しています。

コクピットシステム
ドライバーと運転制御とのインターフェースとなるメーター・ディスプレイを統合したシステム

他事業も含めてデジタルAVで培った先進技術を活かし、自動車コックピットのエレクトロニクス化や電気自動車の普及により需要拡大が見込まれる車載充電器、部品だけではなくシステムを含めた安全運転支援分野の開発に力を入れています。

またパナソニックエナジーでは車載電池を手がけており、この分野の国内トップメーカーです。その技術力は非常に高く、成長著しいTeslaにも納入しています。国内、海外を含めて新工場の建設を発表しており、EVシフトに合わせて電池の生産／販売を伸ばすため、積極的な設備投資を進めています。

モーター技術を応用した車載事業「Nidec（日本電産）」

モーターの技術を基に自動車業界に参入し、大きく売上を伸ばしているのがNidec（日本電産）です。パワーステアリング向けのアシストモーターでは世界トップシェアを誇り、電動ポンプや運転支援／自動運転向けのセンサーも生産しています。

近年力を入れているのが、モーターとインバーター、ギアを一体化したeアクスルで、中国新興EVメーカーに採用され、中国ではトップシェアを獲得しています。eアクスルではヨーロッパのStellantisと合弁会社を設立し、セルビアに車載モーターの工場を建設するなど、世界での販売に力を入れています。

▶ パナソニックの事業別売上比率（2022年度）と製品

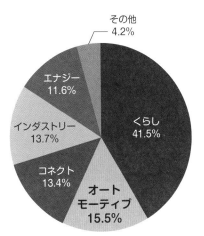

出所：パナソニック決算資料を元に作成

カーナビ

コックピット統合ソリューション

出所：パナソニック オートモーティブシステムズ

▶ Nidecの製品グループ別売上比率（2022年度）と製品

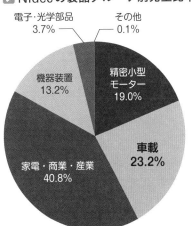

出所：Nidec 決算資料を元に作成

パワーステアリング用
モータパワーパック

出所：Nidec

Chapter5
14

車載電池メーカー

近年、大幅な伸びを見せる電気自動車の販売拡大と共に、主力部品である車載電池市場も大きく成長しています。中国、韓国を中心とした海外メーカーが躍進しています。

中国、韓国電池メーカーの躍進

　中国、ヨーロッパを始めとするEVシフトの加速に伴い、動力源となる車載電池の市場も急激に拡大しています。車載電池の中でも主力となるリチウムイオン電池は2030年には2021年実績の約3倍の出荷量が見込まれています。

　2010年代半ばまでは日本メーカーがシェアの50％を占めていましたが、近年では中国、韓国メーカーが躍進し、大幅にシェアを伸ばしています。

　2022年のシェアトップはCATL（中国）、第2位がLGエレクトロニクス（韓国）、第3位がBYD（中国）となっており、国内メーカーではパナソニックが第4位となっています。

レアメタル
産出量が少なかったり、抽出が困難な希少な金属のこと。車載電池ではリチウム、コバルト、ニッケルなどが使用されている

　電池の需要が拡大するとともに原材料である**レアメタル**の需要も高まっています。各メーカーは鉱山開発への参画や、材料メーカーとの長期契約による確保、研究開発による使用量の削減などを進めています。

完成車メーカーの電池戦略

　電気自動車の総コストの約3割は電池が占めるといわれています。各メーカーの競争は激化しており、一番重要な航続距離の延長をはじめ、電池のサイズやエネルギー密度の改善など研究開発が進められています。　自社開発を進めていく一方、数量を確保するために、電池メーカーとの合弁会社設立なども進められています。

地産地消
完成車メーカーが生産する地域で、部品メーカーも生産を行うこと

　電池は品質確保や物流の都合上、**地産地消**が望ましいとされています。また各国政府が補助金や税控除などで企業誘致を活発に行っており、完成車メーカーは国や地域に合わせた電池サプライチェーンの構築が求められています。

▶ 世界の車載電池の上位10社（2022年）

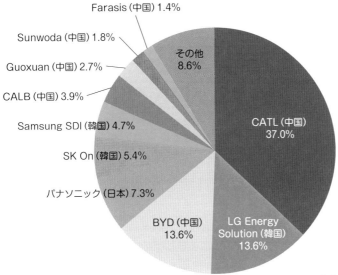

出所：SNEリサーチのニュースリリースを元に作成

▶ トヨタの電池調達および協業の体制

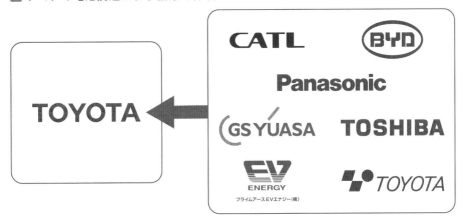

従来からのパートナーであるパナソニック、PEVEに加え、
世界の電池メーカーと強調し、電動車の急速な普及に対応

出所：トヨタ発表資料を元に作成

Chapter5
15

車載半導体メーカー

自動車のコネクテッド化、運転支援機能の発達、電子制御の拡大に伴い、自動車に搭載される半導体の数は年々増加し、重要度を増しています。車載半導体は今後高い成長が見込まれています。

拡大する車載半導体市場

半導体は、エンジンの電子制御などを目的に自動車への搭載が始まりました。その後電子制御技術が発達したことで、さらに用途が広がり、CASE時代の到来で自動車の性能を大きく左右する部品になってきました。半導体を組み込んだECUの市場規模は、2035年には現在の約3倍になると予測されています。

車載半導体は用途別に大きく4つに分類されます。その中でも自動車の基本機能を司るマイコンは2020年以降供給が不足し、自動車自体の減産要因となりました。今後はCASEの進展に伴って、マイコン以外の半導体についても大幅な需要増が見込まれています。

ECU
Electronic Control Unit、電子制御ユニット。システムを電子回路を用いて制御する装置のこと

用途別に大きく4つに分類
マイコン、パワー半導体、プロセッサー、センサーの4つ

世界の車載半導体主要メーカー

主要車載半導体メーカーはInfineon（ドイツ）を筆頭に、NXP（オランダ）、ルネサス、ST Micro（スイス）などがあります。

自動車の生産は1つでも部品を欠品すると滞るため、サプライヤーは部品生産能力の確保と納期の遵守が求められてきました。しかし、半導体メーカーにとっては高品質が求められる一方、車載半導体は旧世代で利益率が低いという事情があります。直近のコロナ禍では設備投資を行わない、他業界向け製品を優先するなどの理由で、半導体が供給されず、自動車減産が続きました。メガサプライヤーは自社内での開発／生産を進めており、ボッシュやデンソーなどは半導体メーカーにひけをとらない能力を持っています。

今後も増えることが予想される半導体需要に備えるため、積極的な投資が進められており、デンソーが次世代車載半導体を開発する合弁会社を設立したり、熊本に工場を建設するTSMCへ出資するなど、半導体内製化の動きが活発化しています。

▶ 車載半導体の種類

車載半導体	説明
マイコン	「走る」「曲がる」「止まる」という自動車の基本機能を制御する
パワー半導体	電力や電圧を制御する
プロセッサー	自動運転などにおいて判断を司る
センサー	車内外における画像や距離などを測定する

▶ 世界の車載半導体サプライヤーの上位5社（2022年）

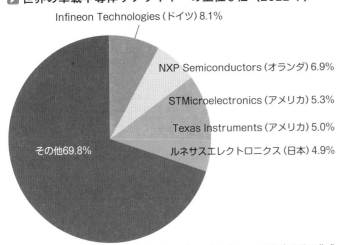

Infineon Technologies（ドイツ）8.1%

NXP Semiconductors（オランダ）6.9%

STMicroelectronics（アメリカ）5.3%

Texas Instruments（アメリカ）5.0%

ルネサスエレクトロニクス（日本）4.9%

その他69.8%

出所：Semiconductor Intelligence の発表を元に作成

▶ 車載半導体が使われる部品／機能

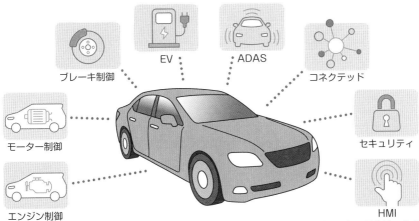

ブレーキ制御

EV

ADAS

コネクテッド

モーター制御

セキュリティ

エンジン制御

HMI

出所：萩原電気の図を元に作成

Chapter5
16

ヨーロッパの部品メーカー

海外、特にヨーロッパでは完成車メーカーと部品メーカーの関係は日本とは異なる水平分業型が主流となっています。その中で自動車開発においてメガサプライヤーが大きな役割を果たしています。

日本とは違う水平分業型

水平分業型
自社で開発するのではなく、それぞれの部品秀でた部品メーカーに委託製造する生産方式

　ヨーロッパでは完成車メーカーと部品メーカーの繋がりは薄く、優れた部品をサプライヤーを問わずに採用する水平分業型のサプライチェーンが特徴です。完成車メーカーから示される仕様だけではなく、ソリューション型の提案を行うことで受注を獲得してきました。

　海外の自動車業界では、さまざまな部品を世界中で扱うメガサプライヤーの影響力が大きくなっています。

ドイツのメガサプライヤー3社

　自動車部品で世界トップシェアはドイツのBoschです。自動車部品事業(モビリティソリューションズ)の売上高は6兆円を超えています。パワートレイン向けの駆動部品から半導体、センサーなど扱う部品は多岐にわたります。販売先はヨーロッパが中心でしたが、その他の地域も売り上げを増やしており、今後はコネクテッドや電動化に関わる部品を強化していく計画を掲げています。

　ZFは歯車の技術を活かした自動車部品を手がけるサプライヤーです。トランスミッション（変速機）のシェアは非常に高く、企業買収を積極的に行い、事業を拡大しています。

　Continentalは元々タイヤを主力事業としていましたが、2007年に自動車部品事業を買収後に事業領域を広げ、現在は自動運転分野のセンサーやシステム開発に注力しています。

　これらのメガサプライヤーの特徴は、選択と集中を意欲的に行い、再編を進めていることです。縮小が予測される内燃機関関連は事業の売却や研究開発を中止する一方で、CASE関連では積極的な設備投資、事業買収を行っています。

▶ Bosch の事業別売上比率（2021年）と製品

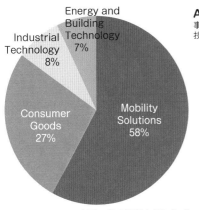

出所：発表資料を元に作成

Active safety
事故を未然に防ぐ
技術を開発。

アンチロック
ブレーキ
システム
(ABS)

トラクション
コントロール
システム
(TCS)

横滑り防止
装置
(ESP)

出所：Bosch Japan

▶ ZF の事業別売上比率（2022年）と製品

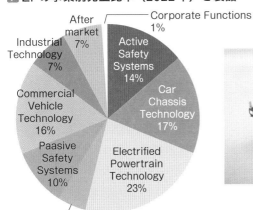

ZF e ドライブ

出所：ZF

出所：発表資料を元に作成

▶ Continental の事業別売上比率（2022年）と製品

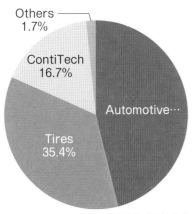

EV用ブレーキキャリパー

出所：Continental

出所：発表資料を元に作成

その他の海外部品メーカー

メガサプライヤーはドイツだけではありません。北米やフランス、また韓国のサプライヤーも近年売り上げを大幅に伸ばしています。

北米のメガサプライヤー

電装品
自動車に搭載されている電子機器の総称

Learは、シートと電装品を事業とするメガサプライヤーです。シートでは世界シェア25％を占めています。M＆Aを積極的に行い、売り上げを拡大しています。

Aptivは、GMの部品事業が分離、独立したサプライヤーです。ワイヤーハーネスなどの電装品と、ECUや自動運転ソフトウェアを含む安全機能製品の2部門で構成されています。現在もGMグループが主な納入先ですが、自動運転分野で現代自動車との合弁会社設立、パワートレイン部門の分離など、事業再編に積極的に取り組んでいます。

シャーシ
サスペンション、ステアリング、タイヤ、ホイールなど、おもに足回り関連の構成部品

Magna Internationalは、内装からボディ、シャーシまでさまざまな部品を扱うサプライヤーです。車両受託製造を行う子会社があるのが特徴的です。この子会社では、トヨタやBMWから高級車の開発／製造の受託や、新興EVメーカーからの委託生産を行っています。

フランス、韓国のメガサプライヤー

Valeoは、電装品に強みを持つメガサプライヤーです。熱管理やインテリア、パワートレイン部品が主力事業です。ランプ事業を手掛けていた市光工業を買収し、日本メーカーにも納入しています。

Faureciaは、Stellantisの部品事業が起源のサプライヤーで、シートなどの内装品が主力事業です。日立製作所から車載音響機器メーカークラリオンの買収、日本発条との合弁会社設立など、日産自動車を中心に日本のメーカーとの取引を行っています。

現代モービスは、現代自動車グループのサプライヤーです。現代自動車向けにシャーシやコクピットモジュールなどを供給し、他メーカーにブレーキやステアリングなどを供給しています。

▶ 海外部品メーカーの売り上げと主要事業

会社名	国	売上高（2022年）(百万ドル、現代モービスのみ百万ウォン)	主要事業
Lear	アメリカ	20,891	シート、電装品
Aptiv	アメリカ	17,489	電装品、安全機能製品
Magna International	カナダ	37,840	内装、ボディ、車両生産委託
Valeo	フランス	20,037	電装品、熱管理、インテリア
Faurecia	フランス	25,458	内装品、内装システム
現代モービス	韓国	51,906,293	モジュール（シャーシ／コクピット）

出所：各社資料を元に作成

▶ Magna International が委託生産するトヨタ「スープラ」

出所：トヨタ

▶ Magna International が委託生産するソニー「VISIONS」（試作車）

出所：ソニー

自動車メーカーが止まると
サプライヤーは大変！

長きに渡り、自動車業界の不文律とされてきた「自動車メーカーのラインをなにがあっても止めてはいけない」という原則は近年、徐々に変わりつつあります。

安全重視が高まる中で、自然災害（台風や雪、大雨など）で危険が想定される場合は事前に稼働停止を決定され、実際に被害が出ない場合でも生産ラインが止まる回数が増えています。また完成車メーカーのシステムトラブルによって、生産が停止する場合もあります。

完成車メーカーの稼働が停止してしまうと、サプライヤーでも生産調整が必要になり、その調整には非常に手間がかかります。稼働を停止する完成車メーカーへ生産する製品が専用ラインで十分に生産余力があれば、自動車メーカーに合わせて停止させるだけで済みますが、単純な調整で済むことはごく稀です。

サプライヤーは1つの完成車メーカーだけに納めているわけではなく、複数の工場、クライアントに製品を生産しており、製造ラインは混流（多品種でクライアントが異なる）ラインが多く、ラインを止めてしまうと他の客先の製品が作れなくなります。

生産調整をせずにラインを動かして在庫を貯め、後で数を減らせば良いという方策もありますが、先行して作ると、置き場や製品を入れる箱が足りなくなる、また在庫が長期間溜まることによってサビなどの品質リスクも発生します。その他にも、従業員の勤務をどう扱うのか、部品の発注増減をどうコントロールするのかも重要な調整事項の1つです。

この調整の場で活躍するのが工場の生産管理です。客先の稼働情報を基に一番ロスの少ない最適な生産計画を立案し、稼働を調整します。

工場の稼働情報は時間単位で変容することも多く、短時間で判断をすることが求められます。そのため、生産管理では生産〜出荷の工程を理解し、関係者といち早く情報共有や合意できる関係性の構築が必要とされます。

第6章

自動車部品が
できるまで

自動車部品はどのような工程で生産／製造されているのでしょうか。本章では、一般的な流れを解説し、部品をムダなく生産するためのトヨタ生産方式や、主要な生産工程を紹介していきます。

Chapter6 01

製品を受注するまでの流れ

完成車メーカーでは通常、新しい車種やモデルチェンジごとにどのサプライヤーから部品を購入するのかを決定します。サプライヤーでは完成車メーカーに価格、品質、技術力を売り込み、採用に繋げます。

サプライヤーの選定

日本の完成車メーカーでは通常、新モデルごとに部品やサプライヤーの採用を決定します。まず、部品生産が可能な複数のサプライヤーとコンタクトを取り、品質、過去の実績や経営状況も含めて、評価を行い、候補となるサプライヤーに RFQ を発行します。

サプライヤーでは、RFQ に記載された情報（部品仕様や台数など）に基づき、見積もりを作成します。図面、コスト構造、部品表など見積もりの根拠となる資料を作成し、場合によってはプレゼンテーションを行います。

完成車メーカーではこれらを基に検討し、最終的なサプライヤーを決定します。決定の際には製品価格だけでなく、技術力、物流／納期の安定性なども考慮されます。決定したサプライヤーには LOI を送付し、量産に向けた生産準備が始まります。また安定供給性確保のため、1 つの部品に複数の会社を採用する場合もあります。

日本の完成車メーカーの場合、サプライヤーから完成車メーカーへの製品や技術の売り込みが行われ、車両開発の初期段階から共同開発を進めることも少なくありません。その場合は完成車メーカーへサプライヤーからゲストエンジニアが派遣されるなど、人材の交流も行われ、開発が進められます。

RFQ
Request for Quotation、見積もり依頼書。見積もりに必要となる諸条件（部品仕様／台数／期間）が明記され、RFQ に基づきサプライヤーは見積もりを回答する

LOI
Letter of Intent、基本合意書。サプライヤーが正式に採用されたことを示す書類となり、サプライヤーでは受領後、量産に向けた生産準備が始まる

価格の交渉

RFQ での見積もりの多くは一度ではなく、複数回行われます。完成車メーカーでは複数サプライヤーの価格を比較し、他の条件も踏まえた上で価格交渉を行い、LOI を発行します。部品の価格は見積もり段階の価格をベースとしながら、スペックや台数の変動があった場合は改訂が行われ、最終価格を決定します。

▶ 自動車メーカーとサプライヤー　受注決定までの流れ

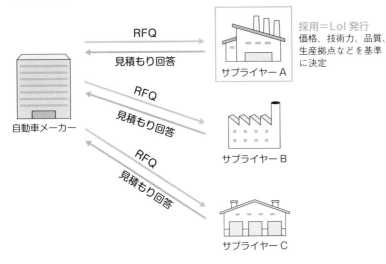

▶ 日本とアメリカにおけるサプライヤー管理の違い

項　目	アメリカ	日　本
取引先企業数	多い	少ない
サプライヤーのタイプ	内製部門主体	系列部品メーカー主体
企業間取引関係の長さ	短い	長い
部品取引関係の長さ	短い	長い
契約期間	1年	2年もしくは4年
サプライヤー選定基準	価格	品質、価格ほか
開発における役割	限定する	重要
価格設定	競争入札	目標価格方式
価格変化	上昇傾向	低減方向
不良率	高い	低い
品質改善	遅い	早い
情報交換	少ない	多い
サプライヤーへの改善提案	少ない	多い

出所：『リーディングスサプライヤー・システム』（有斐閣／藤本隆宏、西口敏宏、伊藤
秀史 編／1998年）

 ONE POINT
海外メーカーの場合

海外完成車メーカーの場合も、基本的なサプライヤー選定の流れは同じです。車両開発初期段階にて開発だけを行うサプライヤーを選定する場合があります。その場合は量産の部品受注とは異なる開発のみの契約が結ばれます。

また日本の完成車メーカーの場合、サプライヤーが決定した後で生産準備が進められ、基本的に変わることはありませんが、海外メーカーの場合は、複数のサプライヤーで試作を行い、各段階でサプライヤーが選定される場合もあります。

Chapter6 02

立ち上げまでの生産準備

受注が正式に決まると部品の量産開始に向け、生産準備が始まります。サプライヤーは完成車メーカーのスケジュールに沿って遅滞なく、金型、設備などの準備を進めることが求められます。

生産準備はどのように行われるか

サプライヤーでは、完成車メーカーから部品の正式受注が決まると、SOPに向け、生産準備を開始します。クライアントとの最終仕様／仕様に基づいた図面の合意、部品が仕様を満たすのかの試験／評価、生産するための設備／治具の手配、製造現場で良品を生産するための検査／作業ルールの決定と定めた帳票類の作成など多岐にわたる準備が必要となります。

新規部品は生産準備の中で、設備トラブルや品質異常などさまざまな課題が発生します。サプライヤーでは、量産開始までに客先の仕様、要望数を満たすよう、品質を作りこみ、生産できる体制を整えていかなくてはいけません。

完成車メーカーのスケジュールと生産準備

完成車メーカーでは、SOPまでの車両開発計画の作成、試作車や量産ラインでの初回生産などのイベントの設定などが行われます。各段階で品質を確認しながら生産準備が進められます。サプライヤーに対しては、試作や本型（OT）、本型本工程（OTOP）など、イベントの段階に応じた部品の納入が求められ、各イベントの納期に合わせて生産準備を進めていきます。

近年、完成車メーカーでモデルベース開発／シミュレーション技術活用による試作台数の削減や、開発リードタイムの短期化が進められています。設備や金型の手配では、1年近く手配期間がかかる場合や、試験で仕様を満たさずに設計変更が発生するなど生産準備が遅れた場合でも、クライアントのイベント納期は遵守する必要があるため、サプライヤーでも生産準備の短期化が進められています。

SOP
Start of Production、量産開始のこと。LO（Line Off、ラインオフ）と呼ぶこともある。完成車メーカー、サプライヤーを含め、SOPまでに生産準備を完了させる必要がある

治具
加工を行う際、加工対象を固定し、位置決めや加工の案内を行う補助工具

本型
Off Tool、量産時の金型を用いた製品の生産を行うこと

本型本工程
Off Tool Off Process、量産時の金型及び設備を用いた製品の生産を行うこと

▶ 量産開始までの開発スケジュールの流れ

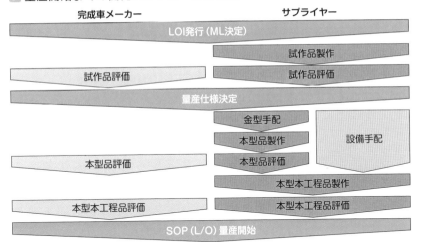

完成車メーカー　　　　　　　　サプライヤー

LOI発行（ML決定）

試作品製作

試作品評価 ── 試作品評価

量産仕様決定

金型手配
本型品製作　　設備手配

本型品評価 ── 本型品評価

本型本工程品製作

本型本工程品評価 ── 本型本工程品評価

SOP（L/O）量産開始

▶ 開発でのイベントと目的

車両開発イベント名	時　期	部品の工程	目的
AS（Advanced Stage）、FS（Final Stage）	量産開始20ヵ月前	試作品	設計品質確認
CV（Confirmation Vehicle）	量産開始12ヵ月前	本型品	性能品質確認
1A（一次号試）	量産開始6ヵ月前	本型本工程品	生産能力確認
量確（MPT：Mass Production Stage）	量産開始2ヵ月前	本型本工程品	量産確認
品確（QCS：Quality Confirmation Stage）	量産開始1ヵ月前	本型本工程品	量産開始前の最終品質確認

▶ 自動車向け性能／耐久試験機

ステアリング関連
・ステアリングシャフト耐久試験機
・ステアリング耐久試験機
…

トランスミッション・CVT
・トランスミッション耐久試験機
・騒音試験機
…

シート関連
・シート引張試験機
・シートフレーム耐久試験機
…

デフ関連
・よじれ疲労試験機
・アクスル疲労試験機
…

エンジン関連
・渦電流動力計、水動力計
・テンショナー加振機
…

ドライブシャフト関連
・プロペラシャフト耐久試験機
・ドライブシャフト耐久試験機
…

次世代自動車向け
・EVモーター耐久評価用装置
・電池セル強度評価試験装置
…

CVJ関連
・CVJ耐久試験機
・NVH試験機
…

ホイール、タイヤ、ブレーキ関連
・ホイール回転曲げ試験機
・ダンパー加振機
・ブレーキ関連試験機
…

クラッチ関連
・クラッチテスター
・クラッチジャダー試験機
…

ボディ関連
・ドア耐久試験機
・ドア圧縮試験機
…

排気関連
・マフラーマウント耐久試験機
・騒音試験機
…

出所：三工商会の資料を元に作成

Chapter6 03

部品の値段と原価の作りこみ

自動車産業は製造業に位置付けられ、利益率は他業界と比べ決して高くありません。その中でも利益を上げていくために、適切な値段を設定し、原価を作りこんでいく必要があります。

適切な利益を生むためのコスト管理

完成車メーカーとサプライヤー間での部品の値段は、製品受注時のRFQがベースとなります。受注後の開発段階で、品質や工場の組付け性などの要因により、完成車メーカーから仕様や設計変更が求められる場合があり、仕様差を価格に反映し、最終量産時の値段が決定します。直近では原材料やエネルギーの価格が大きく変動しており、それらを考慮して販売価格が決められることが多くなっています。

また日本の自動車業界では、完成車メーカーから年もしくは半期単位に調達品の価格引き下げを求められることが一般的です。部品メーカーは利益を確保するための生産性向上で対応し、このような改善の積み重ねが競争力の源泉となっています。

原価の作りこみ

日本の自動車業界では、完成車メーカー、サプライヤーを含め、企画段階から予算や目標原価を定め、目標利益を達成する原価企画活動が実施されています。新型車は新技術の採用や法規制の対応などのコスト増要因に対応したうえで、自社利益の確保と消費者の求める価格を設定する必要があります。

製品や資材、サービスのコストと機能を検証し、図面や仕様書の変更、製造方法の能率化、発注先の変更、他車種の部品流用（共通化）などを行い、コストの低減を進めます。

設計段階でコストの80％が決まるといわれており、開発段階でどこまでコストを低減できるかが目標原価達成において重要です。また、量産開始後はVA/VE活動や、時間当たりの出来高を上げる、不良率を下げるなどの生産性向上を進めることで、さらに原価低減を進め、利益が確保できるような改善が行われています。

価格引き下げ
定期的に実施される完成車メーカーから部品メーカーへの調達価格の見直し。基本的には原価低減活動を踏まえ、引き下げが求められることが多かったが、近年では材料価格/電力費の高騰などの要因により値上げされる場合もある

VA/VE活動
Value Analysis, Value Engineeringの略。仕様や製造方法を見直すことにより製造コストを下げる活動を指す

▶ 自動車部品のコスト

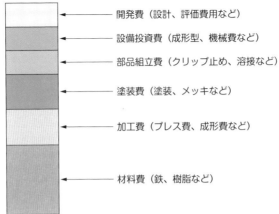

- 開発費（設計、評価費用など）
- 設備投資費（成形型、機械費など）
- 部品組立費（クリップ止め、溶接など）
- 塗装費（塗装、メッキなど）
- 加工費（プレス費、成形費など）
- 材料費（鉄、樹脂など）

出所：グランプリ・モーター・ブログの資料を元に作成

▶ 原価の作りこみ

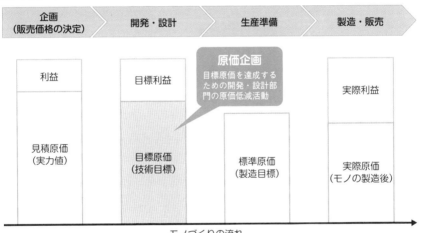

企画（販売価格の決定）＞ 開発・設計 ＞ 生産準備 ＞ 製造・販売

原価企画 目標原価を達成するための開発・設計部門の原価低減活動

- 利益
- 見積原価（実力値）
- 目標利益
- 目標原価（技術目標）
- 標準原価（製造目標）
- 実際利益
- 実際原価（モノの製造後）

モノづくりの流れ

出所：図研プリサイトの資料を元に作成

 ONE POINT

VA/VE活動の意義

VA/VE活動では部品メーカーからの改善要望を自動車メーカーに伝え、仕様の緩和や材料を見直すことでコストを削減し、その効果を両者で分かち合います。VA/VE活動は部品メーカーの協力の結果として評価されるため、製品のコスト削減だけでなく、次回の受注獲得に向けても重要な意味を持っています。

Chapter6
04

日々の生産計画

サプライヤーでは企画台数をベースに量産に向けた生産準備がなされます。量産開始後は中長期計画、3ヵ月内示を基に生産手配を行い、自動車メーカーからの受注を受けて部品の納入を行います。

完成車メーカーに部品が納入されるまでの流れ

企画台数
完成車メーカーが設定した車の量産開始から打ち切りまでのライフサイクルの平均台数

サプライヤーでは、新しい部品がSOPになった場合は企画台数を基準に生産設備の準備を進めます。実際の発注は企画台数と異なるため、量産後は完成車メーカーからの内示情報に基づき、人員や部品の手配を行います。

完成車メーカーから3ヵ月分の部品内示が情報展開され、それに合わせてサプライヤーは人員や部品の手配を実施します。内示数が多い場合は残業や土日出勤の実施、内示数が少ない場合は勤務の直数の調整など、納期遵守とコストを考慮した生産計画が作成されます。

完成車メーカーは、日ごともしくは工場への納入便ごとに発注を行い、サプライヤーは遅れないよう部品の出荷を行います。現在、完成車メーカー、サプライヤー間の受発注は電子データ（EDI）でのやり取りが主流となっています。

EDI
Electronic Data Interchange、コンピューターをネットワークに接続して伝票や文書を電子データで自動的に交換すること

また、完成車メーカーでは3ヵ月内示とは別に、長期での販売計画もサプライヤーに発信します。サプライヤーは長期計画で問題なく生産が対応できるのかを確認し、生産能力が不足となった場合は、設備能力増強や先行生産などの検討を行います。

内示が大きく変化したコロナ禍、半導体不足

2020年以降のコロナ禍や半導体不足の状況下において、完成車メーカーからの内示が月ごとに大きく変動し、内示と発注数の差が大きい状況が続きました。前工程の部品が余ったり、余剰人員が発生するなど、サプライヤーに大きな負担となり、生産量が減った要因も合わせて業績は大きく悪化しました。サプライヤーからの要望を受け、完成車メーカーからの内示の精度向上や、生産量の変更があった際の早期の情報連絡などの改善が進められています。

▶ 自動車の需要情報と用途

企画台数
- ・量産開始前の採算計算
- ・生産能力の確認

長期販売計画（〜5年）
- ・生産能力の確認
- ・設備投資・事業計画

3ヵ月内示　　（〜3ヵ月）
- ・工場人員、部品手配

確定発注　　（1日〜1週間）
- ・製品の生産・出荷

▶ 自動車メーカーの国内生産台数の対平年・前月比

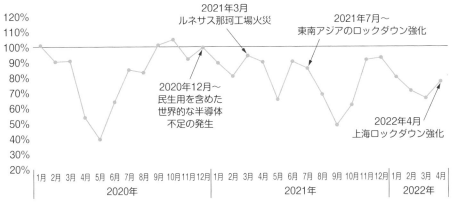

2021年3月
ルネサス那珂工場火災

2021年7月〜
東南アジアのロックダウン強化

2020年12月〜
民生用を含めた
世界的な半導体
不足の発生

2022年4月
上海ロックダウン強化

出所：経済産業省の資料を元に作成

🖋 ONE POINT

内示と確定発注のずれ

自動車メーカーから発信される3か月内示を基に部品メーカーでは人や部品の準備をします。そのために、内示と確定発注の間にずれがあると無駄が発生し、余分なコストが増えます。そのため、確定発注の動向を注視し、内示から数量/納期が変更となった場合は早いタイミングで生産計画を見直し、人や部品を調整することが必要となります。

Chapter6
05

トヨタ生産方式とは

日本の自動車メーカーが世界で躍進できた大きな要因は、品質と価格競争力の高さにあります。特にトヨタではトヨタ生産方式（TPS）によって、品質／生産性を「カイゼン」し、大きな効果を上げました。

日本が世界に誇る「トヨタ生産方式（TPS）」

TPS
Toyota Production System、リーン生産方式、JIT（ジャスト・イン・タイム）方式とも呼ばれる

自工程完結
自工程を完璧に遂行し、次工程に不適合品を流さないという作業の進め方

ムダ
ムダの代表例として「作り過ぎのムダ」「手待ちのムダ」「運搬のムダ」「加工のムダ」「在庫のムダ」「動作のムダ」「不良をつくるムダ」の7つが挙げられる

トヨタ生産方式（TPS）はトヨタが編み出した工場生産方法で、「徹底したムダの排除」と「造り方の合理性の追及」を目的としています。TPSの二本柱は自働化とジャストインタイムです。自働化は「異常が発生したら機械がただちに停止して、不良品を造らない」という考え方で、自工程完結を進めていきます。

ジャストインタイムは「必要なものを、必要なときに必要な量だけ造る」、生産におけるムリ・ムダ・ムラをなくすという考え方です。「付加価値を高めない各種現象や結果」をムダと定義し、このムダをなくすことで生産性を高めていきます。

ジャストインタイムでの生産は、在庫を抑えることで、資金の回転率を高め、また問題点を見える化するというメリットがあります。完成車メーカーでの過小在庫や納期遅れにつなげないため、サプライヤーでは納期遵守が求められます。

トヨタ生産方式は、世界からも高い評価を受け、海外を含めた他社、サプライヤーでも展開が進められています。

変わるトヨタ生産方式

1960年ごろから取り入れられた、トヨタ生産方式は時代の変化と共に変わりつつあります。代表的な道具である「かんばん」では電子化が進められています。また直近の半導体不足やコロナ禍における工場休止の経験から、極力在庫を持たないジャストインタイムから部品によっては一定数の在庫を確保しておくジャストインケースへの転換が行われています。またトヨタ生産方式の考え方は、製造業以外の他業種でも取り入れられ、大きな効果を上げています。

▶ トヨタ生産方式

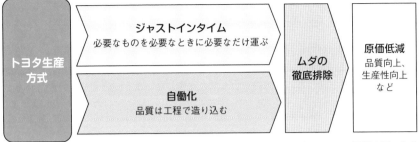

出所：トヨタの資料を元に作成

▶ 「かんばん」での生産手配

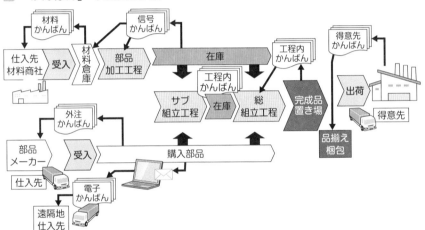

出所：エスツーアイの資料を元に作成

✍ ONE POINT　　　　トヨタ生産方式の活用

ムダを極力排除する「トヨタ生産方式」は自動車の生産以外でも活用が可能で、生産性アップに大きな効果を上げます。直近ではコロナワクチン接種の際に、地元豊田市がトヨタ生産方式の考えを取り入れた運用を行うことで、接種にかかる時間を短縮し、最適な人員配置を行うなど大きな効果を上げています。農業やサービス業でもトヨタ生産方式を取り入れたカイゼンが拡大しており、日本全体の生産性向上の手段として注目を集めています。

設計変更と工程変更

自動車部品では、品質問題の解消やコスト削減を目的として設計変更、工程変更が行われます。品質上の大きな変化点となり、完成車メーカーとサプライヤーは協力しあい、迅速かつムダの発生しないよう対応する必要があります。

図面が変わる「設計変更」

設計変更とは「製品（部品）図面が変更される」変化点を指します。設計変更が行われる理由は、大きく問題解決型と課題解決型の2つの要因に分けられます。

問題解決型は、図面に問題があることで行われる変更です。図面通りに作っても、要求性能が未達の場合や、法規制への対応、また図面の公差や仕様では現場で製品の製造ができない場合などが該当します。課題解決型は改善のために行われる変更です。コスト削減のための部品変更や公差の緩和などが該当します。

設計変更には、部品の品番が変更となるメジャー設変と、品番に付属する符号が変更となるマイナー設変の2種類があります。メジャー設変では基本的に互換性はありません。マイナー設変は変更前後の部品であっても互換性がある場合が多くなっています。

互換性のないメジャー設計変更の場合は、変更後は既存品が使用できなくなります。そのため、既存品の在庫処理を明確にしたうえで、変更品を準備し、切り替えを進める必要があります。

要求性能
目的達成のために該当設備が保有しなければならない性能のこと

公差
標準の重さ・大きさなどから公式に許容されている誤差のこと

部品を作るプロセスが変わる「工程変更」

工程変更とは「部品が生産される工程が変更される」変化点を指します。生産拠点の変更、新設備の導入や金型更新、部品を製造するサプライヤーの変更などが該当します。

工程変更は品質上の大きな変化点となり、異常の発生が多いため、変化点を管理し、品質に影響が出ないように管理する必要があります。鋼材や樹脂などの原材料の工程が変わる場合は、対象部品が多岐に渡ることが多いので、切替スケジュールが成立するように検証、確認を進めていく必要があります。

▶ 設計変更と工程変更の代表例

変更名	内容
設計変更	部品の図面（仕様/構成）が変更 規格変更　　形状変更　　構成変更
工程変更	部品の製造工程が変更 サプライヤーA　　○○県　　Line 1 ↓ サプライヤーB　　××県　　Line 2 仕入先変更　　拠点変更　　ライン変更

▶ メジャー設計変更とマイナー設計変更

変更区分	品番変更内容		変更度合い	互換性
メジャー設計変更	XXXXX-XXXX1-A ↓ XXXXX-XXXX2-A	部品品番が変更	大	なし
マイナー設計変更	XXXXX-XXXX1-A ↓ XXXXX-XXXX1-B	部品品番の符号が変更	小	あり

🔖 ONE POINT

設計変更／工程変更の難しさ

設計変更や工程変更は、品質異常／能力不足の解消の場合、いち早い切り替えが求められる場合が多く、完成車メーカー／部品メーカーが協力し合い、迅速な対応が求められます。同時に無駄な在庫、デッドストックが発生しないようタイミングを適切に見定め、変化点による異常が発生しないよう重点管理することが重要です。

Chapter6
07
代表的な生産工程
（鍛造／鋳造、プレス、溶接）

自動車には1台当たり約1トンの鋼材（金属材料）が使用されています。鋼材をいかにして自動車部品に加工するのかについて代表的な生産工程を紹介します。

鋼材の形を変える「鍛造／鋳造」

安価で高強度な鋼材、金属材料は自動車を作るうえで欠かすことの出来ない原材料です。鋼材を自動車部品に製造するために完成車メーカー／サプライヤーでは金属加工が行われます。代表的な加工が鍛造／鋳造です。

鍛造は「金属を固体のまま圧力をかけて変形させる」加工方法です。金属の結晶を微細化し方向性を整えることで、高強度／靭性を得られるメリットがあります。

鋳造は「金属を液体にして型に流し込み形状を変更させる」加工方法です。液体化させるため、複雑な形状にも対応可能で、自動車部品ではアルミ部品での加工に多く用いられています。鍛造／鋳造共に、金型による成形が行われますが、自動車部品では精度が求められるため、加工後に切削や研磨が行われます。

鍛造
金属に熱を加えて変形させる「熱間鍛造」と、加えない「冷間鍛造」の方法がある。熱間鍛造は金属の変形量が多くても対応が可能、冷間鍛造は加工精度が向上するメリットがある

金属を曲げる「プレス」と接合させる「溶接」

自動車のボディ部品の製造方法は、鋼材を金型に押し当てて変形させるプレス加工が主流となっています。原材料となる金属のブランク材を切り出し、複数工程で曲げ、打ち抜きを行い、最終形状に仕上げます。その後、他の金属部品との接合のために金属を溶かして接合させる溶接加工が実施されます。主にプレス部品同士を圧着させ、高電圧で部分的に溶かすスポット溶接や、レーザー照射で過熱して局部的に溶接するレーザー溶接が用いられます。

自動車のボディ製造ではこれまで金属部品でのプレス加工が中心でしたが、アルミ材料で一体型鋳造で成形する「メガキャスト」や軽量化のために炭素繊維強化プラスチック（CFRP）が使用されるなど、製造技術が大きく変わりつつあります。

▶ 鋳造と鍛造の工程

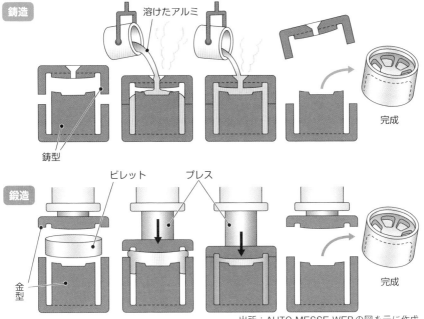

鋳造

溶けたアルミ

鋳型

完成

鍛造

ビレット　プレス

金型

完成

出所：AUTO MESSE WEB の図を元に作成

▶ プレス加工

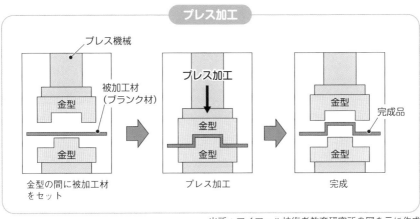

プレス加工

プレス機械

金型

被加工材
（ブランク材）

金型

プレス加工

金型

金型

完成品

金型

金型

金型の間に被加工材
をセット

プレス加工

完成

出所：アイアール技術者教育研究所の図を元に作成

Chapter6 08

代表的な生産工程（研削／熱処理）

自動車部品は高精度が求められ、鍛造／鋳造による金型成形では精度が不十分な場合が多くあります。部品の精度を上げるため、研削加工が実施され、また部品の強度や特性を変えるために熱処理加工が実施されます。

高精度部品製造のために欠かすことできない「研削」

　鍛造や鋳造では、金型による金属成形が実施されますが、金型で保証できる精度には限界があります。また細かい形状になると金型での成形が困難な場合があります。そのため、鍛造／鋳造後に、砥石を当てて加工する研削が多く行われています。

　研削加工では、刃物を当てて対象を削る切削加工、回転する砥石を押し当てて加工する研削加工があります。切削加工は加工部が大きい際に主に使用され、研削加工では精度を高めるために使用される場合が多くなっています。また表面の仕上げ加工として研磨加工がされる場合もあります。

　精度が向上すれば、その分製品のばらつきは小さくなり、より細かい要求仕様に対応できますが、その分加工が増えてコストも高くなります。品質やコストを考慮して最適な設計／加工を選択する必要があります。

砥石
金属などを研削・研磨する道具。加工する形状、内容により粒度や材料を選定する必要がある

材料の特質を変える「熱処理」

　自動車部品は、過酷な環境でも劣化しないよう、高い耐摩耗性や耐疲労性が求められます。そのため金属を加熱／冷却し、素材の硬度、強度、靭性（じんせい）を変化させる熱処理加工が行われます。

　熱処理加工には、全体に対する一般熱処理と表層部分を対象とする表面熱処理、特定の部分のみ熱処理を行う部分焼き入れがあります。部品の用途によって熱処理方法は選択され、製品の性能を満たすように硬度や熱処理の深さが決められています。熱処理は部品の強度に大きな影響を与える重要工程であるため、厳密な品質管理が必要となります。

靭性
材質の粘り強さ。力によって破壊されにくい性質を表す

▶ 研削と研磨加工の違い

研磨

研削

「圧縮転写加工」
→ 表面をきれいにする

「運動転写加工」
→ 表面をきれいにする
→ 寸法精度を出す

研磨と研削の違いは寸法を決めることができるかどうか

出所：しぶちょー技術研究所の図を元に作成

▶ 熱処理の種類と目的

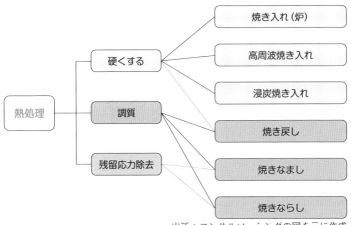

熱処理 ─ 硬くする ─ 焼き入れ（炉）
　　　　　　　　　　─ 高周波焼き入れ
　　　　　　　　　　─ 浸炭焼き入れ
　　　　─ 調質 ─ 焼き戻し
　　　　─ 残留応力除去 ─ 焼きなまし
　　　　　　　　　　　　─ 焼きならし

出所：コンサルソーシングの図を元に作成

📢 ONE POINT

重要な熱処理工程

材料の特性を変化させる熱処理は異常があると、部品の破損したり、耐久度が低下するため、極めて重要な工程です。そのため、熱処理では温度や時間が厳密に管理されるとともに、異常が発生しても見つかるよう、定期的に検査を行って異常品の流出を防いでいます。

Chapter6
09

代表的な生産工程
（樹脂成型／塗装／組付け）

自動車には金属部品だけではなく、樹脂部品も多く使われ、多くのサプライヤーが部品を納入しています。また自動車部品では塗装工程も極めて重要で、見た目だけでなく、性能面でも重要な役割を果たしています。加工された部品は組付けられ最終製品として完成します。

採用が増える「樹脂部品」

　自動車では燃費改善などのために軽量化が求められ、金属に変わり、プラスチックなどの樹脂部品が多く採用されるようになっています。また用途に合わせて、さまざまな材料が使用され、近年では炭素繊維を含んだ高強度の樹脂部品の開発も進んでいます。

　樹脂部品では射出成形という、樹脂を溶かし、金型に流し込んで成形する製法が最も用いられています。他の製法では樹脂を熱して柔らかくした後にパイプ状に押し込み、空気を送り込んで、金型の形に成形するブロー成形があります。

見た目以外でも重要となる「塗装」

　部品の外観はデザインにおいて重要な要素であり、見た目を保つ塗装は自動車部品にとって欠かせない工程です。また自動車部品は錆による腐食で性能が低下することがあり、塗装は防錆という点でも重要な役割を持っています。

　自動車のボディでは電着塗装、シーラー塗布を経て、本塗りを施す製法が一般的です。他の自動車部品では製造工程にて防錆塗料を塗布し、熱して乾燥させて塗装を行う工程が多く採用されています。ムラなく均一に塗装されることが重要で、外観上問題ないか、また剥がれることがないかの検査を行い、品質を保証しています。

電着塗装
塗装する対象物を水溶性塗料を入れたタンクの中に浸し、直流電気を流して塗膜を密着、形成させる塗装方法のこと

シーラー塗布
自動車のサビ予防や水の浸入防止などで使用するシーラー材を塗布すること

最終的な製品に仕上げる「組付け」

　加工された部品は各部品と組付けられ、最終製品として完成し、出荷されます。最終工程となる組付け工程が部品の製造能力を決めるため、需要に応じた十分な生産能力を持つ必要性があります。

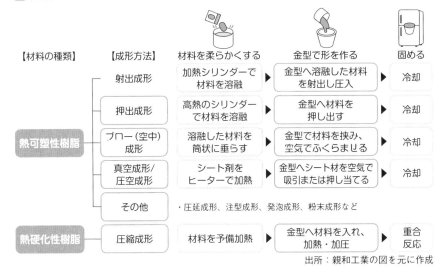

▶ 樹脂成形の種類と工程

【材料の種類】	【成形方法】	材料を柔らかくする	金型で形を作る	固める
熱可塑性樹脂	射出成形	加熱シリンダーで材料を溶融	金型へ溶融した材料を射出し圧入	冷却
	押出成形	高熱のシリンダーで材料を溶融	金型へ材料を押し出す	冷却
	ブロー（空中）成形	溶融した材料を筒状に垂らす	金型で材料を挟み、空気でふくらませる	冷却
	真空成形/圧空成形	シート剤をヒーターで加熱	金型へシート材を空気で吸引または押し当てる	冷却
	その他	・圧延成形、注型成形、発泡成形、粉末成形など		
熱硬化性樹脂	圧縮成形	材料を予備加熱	金型へ材料を入れ、加熱・加圧	重合反応

出所：親和工業の図を元に作成

▶ 自動車部品（オルタネーター）の組付けまでの工程例

オルタネーター
DBR・ステーター接続 → リヤカバー取付 → フロントカバー・ベアリング取付 → ローター・フロントカバー取付 → 本体取付 → 特性試験 → 音・外観検査

ステーター組立工程
コア塗装・加工 → 巻線 → コイル・口出し線成型 → ワニス処理 → 検査

ダイオードブラシレギュレーター組立工程
ダイオード素子圧入 → ダイオード組立 → 溶接 → 特性検査 → ダイオード → ICレギュレーター組立

ブラケット加工工程
旋削加工 → 穴・ネジ加工 → 検査

ローター組立工程
FDコイルクミ → ローター組立 → ワニス処理 → 機械加工・バランス修正 → 検査

出所：岩瀬屋製作所の図を元に作成

※オルタネーター：車の始動時などに必要な電流を発生させるための発電機

Chapter6

10

量産と補給

自動車部品は量産品と補給品の2種類に分けることができます。主に市場用に自動車修理として使われる補給品はサプライヤーにとって大きな負担となっています。

車両組付け向けの「量産品」と修理用の「補給」

　自動車業界では、工場で完成車に組み付けられる部品を量産品（号口品）、市場に出たクルマの修理に使われる部品を補給品（サービスパーツ）といいます。

　量産品はプラスチックの箱や納入専用のパレットといわれる専用の荷姿で、補給品は部品単品もしくは段ボールなどで梱包し納入されることが一般的です。また、サプライヤーでは完成車メーカーを通さず、販売店に直接修理部品を販売するアフターマーケット向けを手掛けている会社もあります。アフターマーケット向けは完成車メーカーよりも利益率が高い場合が多いため、重要な収益源となっています。

打ち切りと補給品の課題

　モデルチェンジなどで部品が車両の組付けに用いられなくなることを打ち切り（EOP）といいます。打ち切りになると、大幅に数量は減りますが、補給としての需要があり、サプライヤーの供給義務は続くため、生産は継続されます。補給の供給義務期間は完成車メーカーにより異なりますが、通常は打ち切り後5年以上の長期間に渡ります。

　サプライヤーでは、補給品の生産のために専用の金型、また設備を保有しなくてはならず、大きな負担となっていました。

　自動車業界全体で補給品の金型は大きな課題として捉えられており、自工会や政府から型管理の適正化、例えば補給期間／金型保管費用負担の明確化や、価格の適正化などの要請が発信され、改善への取り組みが進められています。また補給品の管理工数を下げるため、類似品番や上位互換品番に統合する活動も行われています。

EOP
End Of Production、量産品としての生産終了を意味する

▶ 量産品と補給品の流通ルート

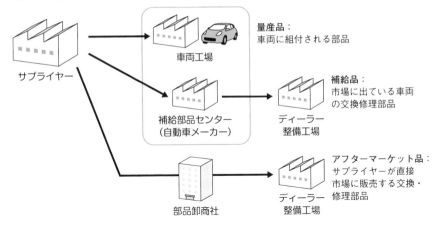

▶ 自動車部品の供給義務

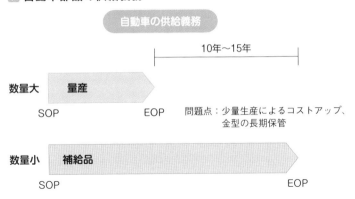

▶ 自動車補給部品の梱包作業写真

出所：サンエイ

Chapter6

11

製品出荷と物流

余剰な部品在庫を持たない生産方式では納期遵守が求められ、発注に対して確実に出荷を行う必要があります。また出荷時の物流コストの削減も完成車メーカー／サプライヤーにおける重要な課題です。

一日に複数回納入される自動車部品

自動車業界ではジャストインタイムと呼ばれる、必要なものを、必要なときに、必要な分だけ使う生産方式が多く採用され、在庫を極力抑えるような運用が行われています。そのため、完成車メーカーでは数量に応じて1日に複数の便に分けて発注し、サプライヤーはその便に合わせて出荷手配を行います。

完成車メーカー内の在庫が少ないため、サプライヤーの出荷遅延は生産ラインを止める可能性があり、納期を確実に守る必要があります。また完成車メーカーのラインが一時的に止まった際には、スライド納入が実施される場合があります。

自動車業界では納入頻度／品番／数量が多く、紙での管理は難しいため、受発注システムはEDIによる電子データが用いられることが一般的です。

スライド納入
ラインが一時的に停止した際に部品の在庫量調整のため、納入便や納入日を順延する対応。基本的に納入数量は変更されない

物流コストをいかに下げるか

1日に複数にわたって出荷し荷量も多いため、物流コストも多額であり、これをいかに削減していくかが自動車業界全体の課題となっています。1台の積載量を増やすため、複数の納入先や他のサプライヤーとまとめて出荷する混載便や、遠隔地ではトラック以外の鉄道などを活用したモーダルシフトの取り組みも行われています。

また従来はサプライヤーが個別に完成車メーカーに納入していた物流体制を、完成車メーカーが決められたルートでサプライヤーに部品の引き取りを行う巡回集荷（ミルクラン）へ変更する動きも拡大が進んでいます。物流業界ではドライバーが不足し、ホワイト物流への転換が求められ、また物流時のCO_2排出削減が求められていることもあり、効率化に向けた改善が進められています。

モーダルシフト
トラックなどの自動車で行われている貨物輸送をより環境負荷が小さい鉄道や船舶の利用に切り替えること

ホワイト物流
トラック物流の生産性向上や物流効率化により、トラック運転者の負担を減らそうという取り組み

ジャストインタイム

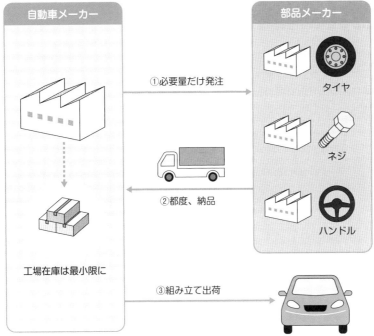

出所：日本経済新聞の図を元に作成

ミルクラン

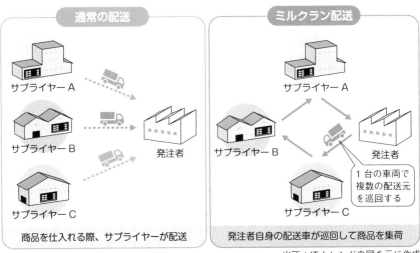

出所：ITトレンドの図を元に作成

Chapter6

12

部品の輸出／輸入

グローバルで生産される自動車部品は完成車と同様に多くの製品が輸出され、また使用する部品の輸入も行われています。国をまたいだ取引は国内とは異なり、関税や関連法規を踏まえる必要があります。

国を超えた部品調達

サプライヤーは日本国内だけでなく、世界各地の完成車メーカーに部品を納入しています。日本の自動車部品輸出額は3兆6,000億円（2021年）、日本全体の輸出額の4％を占めています。輸出だけでなく、国内で使用する部品の輸入も行っており、その額は8,252億円（2021年）に及びます。

部品の輸出は、現地で塗装や溶接などの複雑な工程が必要なCKDと、大きな構成部品は組み立て済みで、簡単な加工のみで組み立て可能なSKDの2つに分類ができます。

CKD
Complete Knock Down

SKD
Semi Knock Down

日本における自動車関連関税は主要部品は無関税のため、輸入の際に関税はかかりません。しかし、他国では輸入関税がかけられていることが多く、輸出する際にはコストとして関税を含める必要があります。

求められる現調化

自動車産業は裾野の広い産業であるため、各国では自国誘致のために関税をかけ、また一定の現調化率を求める政策が取られている国が多くあります。

輸出は物流コスト増、輸送中在庫増、リードタイム長期化、為替変動リスクといったデメリットがあり、サプライヤーでは輸出ではなく、現地で生産する現調化が進められています。ただし、現調化では現地での設備投資が必要となることや、サプライチェーンの現地構築、1か所での集中生産の方がコスト抑制効果が高いなどの要因から輸出生産の方がメリットが出るケースも多々あります。サプライヤーでは現調化／輸出、どちらが有利になるのかを検証して、完成車メーカーへの生産拠点を決定しています。

▶ 主要国の自動車関税率

	乗用車	トラック	バス	部品など （車体および自動車用）
日本	無税	無税	無税	無税
アメリカ	2.5%	25%（車両総重量5トン以上20トン未満のキャブシャシーは4%）	2%	2.5%
中国	15%	15%	15%	6%

出所：日本自動車工業会の資料を元に作成

▶ 自動車の海外輸出の流れ

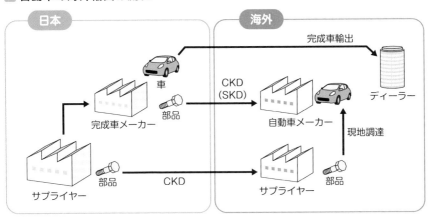

▶ 自動車部品輸出時の荷姿

出所：トライウォールジャパン

171

部品メーカーを悩ます補給品

「あの旧車の純正補修パーツが復刻」旧車ファンの要望から、近年このような取り組みや話題が増えてきました。補給部品は一般的に発売から10〜15年経過すると、自動車メーカーでの供給期間が打ち切られ、絶版になることが多いです。実はこれが部品メーカーにとっては大きな悩みの種となっています。

この一番の問題となっているのは、採算を採ることの難しさです。工場で自動車に組み付けられる量産品は使用数が非常に多いです。そのため、部品もまとめて購入でき、固定費も分散され、安く作ることが可能になります。

補給部品だけになってしまうと、数が激減するために採算性は悪化します。補給部品は量産部品よりも販売価格が高いことが一般的ですが、コスト増に見合うだけの価格アップはなかなか困難なことです。

また、6-10「量産と補給」で述べたように、金型の保管も大きな課題の1つです。年々増えていく品番に対応していけば、金型置き場も拡張していく必要があります。数が少な

い補給部品のためだけに倉庫を借りなくてはいけないといった事態にもいたります。国や自動車メーカーも問題と捉え、改善を進めてはいるものの、依然大きな負担になっていることは間違いありません。

問題を解決する手段として、補給期間分の数量をまとめて生産してしまい、設備、金型は廃却する場合もありますが、自動車メーカーとの合意が難しいことや長期保管による品質の劣化、また需要の上振れによる必要数の不足などの問題があり、なかなか容易ではありません。3Dプリンターを活用して少量部品を製造するといった試みも一部行われているものの、安全に関わる自動車部品では工程変更の厳格な管理が必要で、変更後の部品が同等の性能を維持できるか、評価/検証には多くのコストがかかります。

ユーザーにとっては嬉しい旧車部品の復刻や補修部品の長期供給。その陰には実は自動車部品メーカーの隠れた努力があることを知っていただけたらと思います。

第7章

自動車部品業界の仕事と組織

自動車部品業界で働く人たちは、普段どのような業務を行っているのでしょうか。本章では、部署別に項目立てし、自動車部品業界ならでは話についてまとめています。

Chapter7 01

営業

自動車部品サプライヤーの営業は客先の窓口として会社を代表してやり取りを行い、幅広い業務に携わります。新規受注の獲得や価格交渉はもちろん、日々の受注管理や客先情報の取得も重要な業務です。

会社の顔である「営業部門」

自動車部品サプライヤーの営業は、クライアント（完成車メーカーや他部品サプライヤーなど）とさまざまな交渉を行い、また会社としての窓口となる部門です。

営業の主な業務としては、新規受注の獲得、販路拡大が挙げられます。クライアントに対してはまず仕様や性能のヒアリングを行います。通常新しい車種の開発には数年かかり、どのような車種を考えているのか、どのような機能を搭載したいのかなど、クライアントのニーズを営業が引き出します。

ヒアリングした内容を社内へ展開し、いろいろな部門の人と検証を行って会社としての方針などを決定します。それを受けて営業部門では受注の獲得へ向けて、クライアントへの提案を行います。また、受注に際しては、自社の採算性を考慮したうえで受注できるよう、価格交渉を行うことも重要な業務の1つです。

求められる社内での調整力

営業はクライアントとのやり取りだけでなく、持ち帰った内容を元に社内の意見を取りまとめるという調整力も求められます。

例えば、クライアントから入手したニーズを技術／設計部門に展開する場合、開発や改善につながるような提案や、**受注の変動情報**から安定かつ効率的な供給を実現するための情報連携を行います。また場合によっては、納期や数量の調整など行うこともあります。

営業担当者は自社の製品知識や完成車メーカーでの車両技術、採算性理解のための経理知識や社内での調整能力などいろいろなスキルが必要とされます。「販売拡大の成功」や「クライアントからの信頼獲得」は営業部門だからこそ得られる仕事の醍醐味です。

受注の変動情報
長期的な販売計画や3か月内示の数量の変更。詳細は6-4参照

▶ 自動車部品メーカーの仕事の流れ（営業）

先行開発研究	製品仕様決定	製品開発	量産立ち上げ	量産・販売
将来の製品・サービスに向けた技術研究・開発	市場動向・客先ニーズに基づいた製品構成、性能の決定	性能達成のための図面作成・試験/評価・製造ライン設計	量産に向けた設備・部品手配と品質確認などの生産設備	客先受注に応じた品質の良い製品の生産・販売

販売/事業計画	販売/事業計画

製品の中長期での販売戦略および事業方針の決定

営業の主な仕事内容
- 取引先、市場、競合のリサーチ
- 販売拡大に向けた計画立案
- 新規受注獲得に向けたクライアントへの売り込み／情報入手
- 社内技術部と連携したクライアントへの技術提案
- 量産品の受注／納品管理

▶ 営業部門が関わる他部門や会社

・新製品の開発、既存製品改善での連携
・顧客からの製品ニーズの展開
設計

・新製品の提案
・価格交渉
・需要動向の情報入手
・製品改良の提案
自動車メーカー

営業

・販売価格、事業採算情報の共有
・中長期需要の展開
・事業計画/戦略作成の展開
経理/事業計画

・需要動向の情報展開
・既存製品改善での連携
工場/生産管理

Chapter7
02
購買／調達

自動車部品は、他の企業から購入した原料や部品を使って生産されています。
原料や部品を調達する際、自社にとって利益の最大化となるサプライヤーの
選定、価格交渉、数量設定などが主な仕事です。

サプライヤーとの接点である「購買／調達」

サプライチェーン
原材料調達から製品
生産や在庫管理、流
通や販売など、製品
の開発から消費者に
販売されるまでの一
連の流れのこと

日本の自動車業界はピラミッド構造で成り立っており、自動車部品メーカーにとって**サプライチェーン**の構築は極めて重要です。サプライヤーとの窓口となるのが購買／調達です。

購買／調達の主な業務として、サプライヤーの選定、価格交渉、発注管理などがあります。生産する部品のコストは、サプライヤーからの納入価格によって大きく左右されます。できるだけコストの安いサプライヤーを選定する必要がありますが、安定供給、品質、納期など検討すべき事項があるため、単に安いからといってよいわけではありません。またサプライヤーの技術力なども見極める必要があり、重要な役割を担っています。

グローバルで構築されるサプライチェーン

自動車部品メーカーは世界各地に進出し、それぞれの地域でサプライチェーンを構築しています。基本的に原材料／部品は現地調達が前提となりますが、コストや技術力の面でそれが難しい場合は、国をまたいで調達を行う場合もあります。グローバルで競争力のあるサプライヤーを選定するために海外のサプライヤー、現地法人のスタッフとも協力関係を築いていくことも重要な業務です。

VA/VE
Value Analysis/
Value Engineering、
直訳では価値分析、
価値工学となる。と
もに機能や品質を担
保したままコストを
低減する活動を指す
が、VA は既存製品
に対するもの、VE
は設計段階からとい
う違いがある

また自動車部品は、完成車製造終了後の部品供給サポートも必要となります。10年以上は部品を供給する体制にするため、サプライヤーと共存共栄の関係を築くことが求められます。原価低減のための技術の交流や、VA/VE での成果を分かち合うなど、良好な関係を維持し、改善を進めていけるように、調達／購買は自社とサプライヤーの架け橋となる役割が期待とされます。

▶ 自動車部品メーカーの仕事の流れ（購買／調達）

先行開発研究	製品仕様決定	製品開発	量産立ち上げ	量産・販売
将来の製品・サービスに向けた技術研究・開発	市場動向・客先ニーズに基づいた製品構成、性能の決定	性能達成のための図面作成・試験/評価・製造ライン設計	量産に向けた設備・部品手配と品質確認などの生産設備	客先受注に応じた品質の良い製品の生産・販売

販売/事業計画	販売/事業計画

製品の中長期での販売戦略および事業方針の決定

調達/購買の主な仕事内容
・生産に必要な部品の調達
・新規サプライヤー開拓/選定
・サプライヤーとの価格交渉
・社内/サプライヤーと協業したコスト競争力の強化活動

▶ 購買／調達部門が関わる他部門や会社

既存仕入先

・仕入先要求仕様の展開
・原価低減に向けた活動

設計

・部品の価格交渉
・原価改善に向けた活動
・需要動向の情報展開

調達

・部品価格の展開
・事業採算/戦略作成での連携

経理/事業計画

・競争力のある仕入先の開拓

新規仕入先

・部品納期の管理
・納入形態の決定および改善での連携

工場/生産管理

経理／原価管理

経理は資金や資産の見える化を行い、企業経営において欠かせない重要な部門です。また自動車業界においては収益性の改善を進めるための原価管理という重要な役割も果たしています。

会社の金庫番である「経理」

計画的な企業経営を進めるためには、資産や経営状況を可視化し、効率的にお金を使う必要があります。経理部門では月ごと、年ごとの決算や分析資料の作成、場合によっては資金調達などを通じて、資産を管理し、金庫番として会社を支える、また予算や投資の審議を通じて資産の効率的な運用を進める役割があります。

自動車業界で企業規模の大きい会社であれば、国内の子会社や世界各地に現地法人を持つことが多く、自社だけでなく、グループ全体での収益、採算の管理が求められます。

現地法人
日本企業が海外に設立した子会社。出資関係はあるが独立した法人であり、1社だけでなく複数社が出資し、設立される場合もある

原価を作りこむ「原価管理」

自動車業界では、製品の企画、開発段階に原価を設定する原価企画の管理が多く取り入れられています。原価目標や方針を示し、社内関係部署の連携、協力を仰ぎながら、製品1つあたりの原価を詰めていく役割を果たすのが原価管理部門です。この部門は、決算などの業務を行う本社経理とは別に、事業部や工場ごとで原価管理の専門部署や担当として設けられていることが多いです。

原価管理では製造にかかる各原価を見える化し、**目標原価**に対して、現状や目標との差を示し、目標達成に向けた方策を提案していきます。

目標原価
販売価格から得たい利益（目標利益）を差し引いた金額。詳細は6-3参照

実際に方策に取り組む工場や設計、調達、生産技術などの各部署と連携を行うために、製品や各部門の仕事内容に対する理解、関係部署間に出てくる利害関係を調整して、ゴールに向かって進めていく旗振り役の役割が求められています。

▶ 自動車部品メーカーの仕事の流れ（経理／原価管理）

先行開発研究	製品仕様決定	製品開発	量産立ち上げ	量産・販売
将来の製品・サービスに向けた技術研究・開発	市場動向・客先ニーズに基づいた製品構成、性能の決定	性能達成のための図面作成・試験／評価・製造ライン設計	量産に向けた設備・部品手配と品質確認などの生産設備	客先受注に応じた品質の良い製品の生産・販売

販売／事業計画

販売/事業計画

製品の中長期での販売戦略および事業方針の決定

経理/原価管理の主な仕事内容	・財務諸表の作成など決算関連業務 ・予算管理や投資案件の審議 ・タイムリーかつ低コストな資金調達 ・原価の見える化と原価低減活動を中心とする工場総費用管理

▶ 経理／原価管理部門が関わる他部門や会社

工場

・製造原価の見える化を推進
・原価低減に向けた改善活動での連携

・設備投資の審議
・投資コストの見える化
・投資適正化に向けた連携

生産技術

原価管理

・客先販売価格の共有
・客先見積もりへの原価集約

営業

・原価低減に向けた製品仕様の見直しでの連携

設計

・部品購入価格の情報共有
・仕入先原価低減活動での連携

調達

Chapter7
04

生産管理／物流／貿易管理

自動車業界では、「ムダ・ムリ・ムラ」をなくす徹底したコスト削減が進められています。これを遂行するための生産計画の立案を行う生産管理の業務は不可欠です。

生産の司令塔「生産管理」

　自動車業界では、月単位で部品発注量の内示が発信され、工場ではその内示に基づき、人員や部品の手配を行います。客先と生産現場との間に入り、客先の納期を遵守したうえで「ムダ・ムリ・ムラ」のない最適な生産計画を立案するのが生産管理の業務です。

　設備故障や品質トラブルなどの突発異常が起きた際に、納入が遅れないよう関係部署と協力し合い、生産を調整することも重要な役割の1つです。

　生産管理では受注から、部品の調達、製造を経て出荷までの各プロセスを理解することが求められます。また、SOPまでに問題なく、製造ができるよう、生産準備を計画立て、進捗を管理する業務を行うこともあります。

SOP
Start Of Production、自動車が量産として立ち上がるタイミングを示す

コスト／品質だけでなく環境対応も重要な「物流」

　自動車業界において、仕入先から納入、客先への出荷において品質に問題なく、効率よく部品／製品を運搬する物流の仕事は極めて重要です。荷量／向け先に合わせた物流手段の手配や移送中に品質に影響のでない荷姿の設定はコストだけでなく、二酸化炭素排出の削減、近年注目度が増しているカーボンニュートラルにおいても重要な業務となっています。

　また自動車業界では、グローバルで部品を納入または出荷するため、国をまたいだ取引がひんぱんに行われます。輸出入は法規制や出荷の際の書類など国内の取引とは異なる点が多く、生産管理や物流の業務の中で貿易管理が含まれる場合があります。

貿易管理
輸出や輸入業務を行う仕事。通関手配、通関書類作成、配送便手配や関税付、輸入品納入管理などを行う

▶ 自動車部品メーカーの仕事の流れ（生産管理／物流／貿易管理）

先行開発研究	製品仕様決定	製品開発	量産立ち上げ	量産・販売
将来の製品・サービスに向けた技術研究・開発	市場動向・客先ニーズに基づいた製品構成、性能の決定	性能達成のための図面作成・試験/評価・製造ライン設計	量産に向けた設備・部品手配と品質確認などの生産設備	客先受注に応じた品質の良い製品の生産・販売

販売/事業計画　　　　　　販売/事業計画

製品の中長期での販売戦略および事業方針の決定

生産管理の主な仕事内容

・工場の生産計画、日程計画の立案
・新規製品の生産準備計画の立案や進捗管理
・生産体制の改善、在庫最適化
・生産管理システム構築、業務改革の推進
・物流の円滑化、コストダウン

▶ 生産管理／物流／貿易管理部門が関わる他部門や会社

工場

・生産計画の立案
・新規立ち上げ計画の進捗管理

・新規立ち上げでの設備手配/生産準備/進捗管理

生産技術

生産管理

・客先需要動向の情報共有

営業

・客先への製品出荷の手配
・仕入先からの部品納入の手配
・荷姿設定

物流

・部品発注、納期調整
・生産計画の展開

仕入先

Chapter7 05

製造

製品を工場で作り出す製造は、メーカーの利益を生み出す重要な部門です。現場で生み出される「カイゼン」は日本の自動車業界の大きな強みとなっています。

自動車業界で何よりも重視される現場、「製造」

　製造業において実際に製品を生み出す工場、そこで働く製造の仕事は、利益の源泉をなる重要な仕事です。鍛造や加工、組付けや検査など各工程に分かれ、決められた標準に基づいて作業を行い、製品を作り出します。

　製造ラインで働く作業者の他に、段取り替えや異常対応を行う作業者、ライン全体の監督者が製造部門に該当します。一般的には昼と夜の勤務に分かれ、生産量が多い場合は残業や土、日曜に特別に出勤して生産を行う場合もあります。

　機械による自動化が進められていますが、人の手による作業は依然多く存在します。また故障や品質異常などのトラブルが発生した際も、人が調査して処理を行う必要があります。

　また単にライン作業を進めるだけでなく、現場のカイゼンを行っていくことも重要な役割の1つです。現場からの発案、QC活動などで異常の削減や生産性の効率を高める**ボトムアップ**の取り組みは日本の自動車業界の大きな強みとなっており、競争力の向上につながってきました。

　製造部門では担当部門の作業内容だけでなく、生産設備や品質、製品知識、前後の工程などの幅広い知識が求められます。また、工場では1つ間違えば、命に関わる事態にあることもあり、働くうえでは「安全」が最も優先度の高い事項となっています。

　設計や品質保証などの間接部門においても、工場で製品を作り出す現場のことを知っておかなければ、実態に即した業務を行うことはできません。そのため、自動車業界では「**現地現物**」という考え方が広く浸透しています。

QC
Quality Control、日本語に訳すと「品質管理」となるが、品質管理の部署だけではなく、現場からカイゼンを行うことも、メーカーにとってはたいへん重要なことである

ボトムアップ
現場の意見を積極的に吸い上げ、それをもとに意思決定をすること

現地現物
実際に現地に足を運んで、現物を確認して触れることで、事実に基づいて物事を客観的に判断すること

▶ 自動車部品メーカーの仕事の流れ（製造）

先行開発研究	製品仕様決定	製品開発	量産立ち上げ	量産・販売
将来の製品・サービスに向けた技術研究・開発	市場動向・客先ニーズに基づいた製品構成、性能の決定	性能達成のための図面作成・試験/評価・製造ライン設計	量産に向けた設備・部品手配と品質確認などの生産設備	客先受注に応じた品質の良い製品の生産・販売

販売/事業計画	販売/事業計画

製品の中長期での販売戦略および事業方針の決定

製造の主な仕事内容
・生産計画に基づいた製品生産
・現場改善による原価低減活動
・工場での新規製品の生産準備
・工場設備の保全

▶ 製造部門が関わる他部門や会社

生産管理

・生産管理の共有
・工場稼働体制最適化での連携

生産技術

・設備導入/改善/保全
・生産準備での連携

製造

品質管理

・製品検査/測定
・製造時の品質保証方法の決定
・品質異常発生の対応連携

物流

・工場構内での部品供給
・荷姿設定

設計

・現場に応じた製品仕様の見直し

生産技術

製造業では生産を行うにあたって、多くの設備、多額の投資が必要となります。設備開発や導入／維持管理／改善を行う生産技術は、競争力のあるモノづくりを実現するために重要な役割を担っています。

📍 モノづくりを支える設備を担当する「生産技術」

　自動車業界を含む製造業では、多額の投資を行い生産設備を導入し、製品を生産します。生産技術では、生産性が高く、費用対効果が高い、加えて高品質なモノづくりを実現する生産ラインの導入や技術開発が主な業務です。設備に導入される加工技術／計測技術の研究や、工場に導入される際の製造ラインの工程設計／立ち上げ、導入済のラインの維持管理や修繕、トラブルが発生した際の対応などさまざまな業務に従事しています。

　また多額の投資を必要とする製造ライン導入では、いかにして投資を抑えることができるかなどの検討も行います。この成果によって会社の業績を大きく左右するたいへん重要な業務です。ただし、投資を抑えるだけでは不十分です。クライアントからの仕様要求や受注数をクリアでき、かつ現場に向けては、高品質の製品を最小限のコストで作りやすくするかも求められます。製造ラインの導入後においては、生産性向上のための設備改善を推進し、また故障が発生しないよう、常日頃から保全を行っていくことその業務となっています。

　世界中に工場が存在し、生産を行うため、国内だけでなく、海外の工場にも製造ラインを導入します。その際は現地法人と連携して、国内工場と同じく円滑に生産が行えるようにしなければなりません。製造設備メーカーからの協力は不可欠であり、社外との調整力、マネジメント力も問われる立場となっています。

　近年ではIoTの技術を用いて、自働化の進んだ高効率／高品質な製造ラインへの工程設計、DXの推進がトレンドとなっています。他部門と同様に、ハードウェアから年々ソフトウェア知識の重要度が高まっています。

DX
Digital Transformationの略称。製造業の場合、デジタル化を促進して、業務効率化を行うこと

▶ 自動車部品メーカーの仕事の流れ（生産技術）

先行開発研究	製品仕様決定	製品開発	量産立ち上げ	量産・販売
将来の製品・サービスに向けた技術研究・開発	市場動向・客先ニーズに基づいた製品構成、性能の決定	性能達成のための図面作成・試験/評価・製造ライン設計	量産に向けた設備・部品手配と品質確認などの生産設備	客先受注に応じた品質の良い製品の生産・販売

販売/事業計画	販売/事業計画

製品の中長期での販売戦略および事業方針の決定

生産技術の主な仕事内容	・生産ラインやロボットの開発/設計 ・生産に関わる技術の研究開発/実用化 ・新規製品生産に伴う設備導入、工場立ち上げのリード ・生産ラインの改善/保全

▶ 生産技術部門が関わる他部門や会社

工場

・設備の新規手配/改造・保全
・生産
・新規立ち上げ生産準備

・新規立ち上げでの計画進捗管理

生産管理

・設備投資案件の審議
・投資最適化に向けた連携

生産技術

経理/原価企画

・原価低減に向け、設備に応じた製品仕様の設計

設計

・新規設備仕様の決定/手配
・手配状況の進捗管理

設備メーカー

Chapter7
07

設計／開発

顧客ニーズに基づき、最適な仕様を決定し、機械設計や回路設計、ソフトウェア設計などを行うことが設計の仕事です。より高性能、低コストの製品となるように、技術開発を進める研究も部品メーカーにとって非常に重要な仕事です。

要求を満たし、コストや製造面を考慮する「設計」

　完成車メーカーの要望する仕様に基づき、自社で生産する製品の構造や部品構成などの検討を行い、図面に落とし込み、量産に繋げるのが設計の仕事です。

　クライアントの要求を満たしたうえで、低コストかつ生産しやすい製品を設計するため、クライアントと社内関係部署との間に入り、設計を進めていく必要があります。

　また設計ではCAEを活用した机上検討が増えていますが、実際に試作品を作って確認しないとわからないことも多く、実験や評価／結果を受けて再設計を行うことも重要な仕事の1つです。

　新規設計だけでなく、品質改善やコスト低減を目的とした、設計変更を行うこともあります。また同じ車種でも世界中で生産されることも多いため、現地法人と連携して、各地域に応じた設計を行うこともあります。

CAE
Computer Aided Engineering、設計段階で性能や強度などのシミュレーションや解析をソフトウェアを使って行うこと

将来への種まきを行う「開発」

　自社の技術力を向上させるため、さまざまな基礎／基盤技術研究を行うのが「開発」の仕事です。部品メーカーが扱う製品によって、ソフトウェアから材料、電子技術などの領域はさまざまです。完成車メーカーからの採用に向け、自社の技術力を磨き、量産製品の性能を向上させるためには欠かせない重要な業務です。

　日本の自動車業界の特徴であるケイレツの中では、完成車メーカーと部品メーカーが協同で開発を行うこともよくあります。開発で生み出された技術は自動車だけでなく、他業界への応用が可能な場合もあり、部品メーカーにとっては新規事業のチャンスを得る重要な役割を担っています。

▶ 自動車部品メーカーの仕事の流れ（設計／開発）

先行開発研究	製品仕様決定	製品開発	量産立ち上げ	量産・販売
将来の製品・サービスに向けた技術研究・開発	市場動向・客先ニーズに基づいた製品構成、性能の決定	性能達成のための図面作成・試験/評価・製造ライン設計	量産に向けた設備・部品手配と品質確認などの生産設備	客先受注に応じた品質の良い製品の生産・販売

販売/事業計画　　　　**販売/事業計画**

製品の中長期での販売戦略および事業方針の決定

設計/開発の主な仕事内容
- ・自社技術/サービスの開発や研究
- ・客先要求に基づく製品の仕様決定
- ・製品の試験、性能評価
- ・製品の改良/コストダウン/販売拡大

▶ 設計／開発部門が関わる他部門や会社

工場

・原価低減、現場の要望に応じた製品仕様の見直し

・新規立ち上げでの製品仕様決定の進捗管理

生産管理

設計/開発

・試作品の生産/試験/評価
・先行開発のための実験

試作/実験

・原価低減、仕入先の要望に応じた製品仕様の見直し

購買/調達

・新規設備仕様の決定/手配
・手配状況の進捗管理

自動車メーカー

品質管理

日本の自動車は高い品質で知られており、その品質を保証、維持するのが品質管理の役目です。工場、現場での品質管理と会社全体の品質を保証する部門に分かれる場合が多くなっています。

高い品質を支える砦「品質管理」

品質管理の役割は、生産した製品が要求された性能、または規格を満たすよう、各工程の品質をコントロールすることです。そのために、生産された製品の検査や、品質異常への対応のみならず、不良品を出さないための仕組み作りや標準化、新規立ち上げ時や設計変更時にはクライアントへの申請関係や品質要件の確認／点検など、関係先は社内に限らず、業務も多岐にわたります。

また製品に不具合があった場合は、原因の追求、再発防止に向けたフィードバックを行うことも重要な役割です。問題の早期解決はクライアントの信頼につながります。品質管理の部署では、他部署との連携を早急に行い、直ちに対策することが求められます。そのため、品質管理担当者は、工程や製品知識などを熟知し、日頃から関連部署との関係を構築しておかなければなりません。

品質マネジメントへの対応

ほとんどの自動車部品メーカーは、ISO 9001やIATF 16949などの品質マネジメント規格を取得しています。これらの規格の取得が自動車メーカーからの受注条件になっているためです。業務プロセスにおいて、**品質マネジメント規格**の要件を満たしているか管理／監査することも品質管理の役割です。

品質マネジメント規格
製品・サービスの品質を継続的に改善する仕組みの実現に必要な事柄（＝要求事項）を定めた規格。代表的な規格としてJISやISOが挙げられる

自動車は品質の不具合が人命に直結するため、品質管理に大きな権限が与えている企業も多くなっています。2023年には日野自動車やダイハツにおける認証不正や、豊田自動織機や愛知製鋼における品質不正が発覚しました。これらの不正を受けて、製造や開発部門から品質管理を独立させ、各部署へのチェック機能を強化する動きが広がっています。

▶ 自動車部品メーカーの仕事の流れ（品質管理）

先行開発研究	製品仕様決定	製品開発	量産立ち上げ	量産・販売
将来の製品・サービスに向けた技術研究・開発	市場動向・客先ニーズに基づいた製品構成、性能の決定	性能達成のための図面作成・試験/評価・製造ライン設計	量産に向けた設備・部品手配と品質確認などの生産設備	客先受注に応じた品質の良い製品の生産・販売

販売/事業計画　　販売/事業計画

製品の中長期での販売戦略および事業方針の決定

品質管理の
主な仕事内容

・製品の検査/測定
・品質異常発生時の対応連携
・製品要求仕様に応じた品質保証方法の決定
・各種品質規格審査や監査対応

▶ 品質管理部門が関わる他部門や会社

工場

・製品の検査/測定
・製造時の品質保証方法の決定
・品質異常の発生時の対応での連携
・品質規格の内部監査

・新規立ち上げでの製品仕様決定の進捗管理

設計

・各種品質規格の審査/監査対応

品質管理

外部監査機関

・仕入先の品質保証方法の決定
・仕入先の品質調査

・設計変更/工程変更など、変化点の申請/管理

調達

自動車メーカー

Chapter7

09 安全衛生／環境管理

製造業の現場は1つ間違えば、命を落とす危険を伴う職場です。その中で安全な業務の遂行環境の構築を進めるのが「安全衛生」の仕事です。また近年ではCSRの観点から企業に環境への配慮が求められ、環境管理担当部署を設置するケースも多くなっています。

従業員が安全に働ける職場を作る「安全衛生」

　自動車部品メーカーの生産現場は大規模な設備が多数存在し、1つ間違えば、命に関わることもある危険のある職場です。そのため現場では「安全第一」が掲げられており、現場で働く従業員が安心して働けるよう、災害や事故を防止する仕組み／啓蒙を行うのが「安全管理」の仕事です。

　過去の事例から災害が起こる要因を追求し、再発防止のために設備の改善や作業標準の改訂を行ったり、安全に作業できる環境なのか、従業員の意識も含めて評価し、未然防止に向けた対策を立案、実施します。

　現場作業への理解が求められるため、作業に精通したベテラン社員で構成される場合が多い部署となっています。

CSRの観点で重要度を増す「環境管理」

　自動車部品メーカーでは、製造の過程でさまざまな副産物も生産され、中には人体や環境に悪影響を及ぼす物質も生成されます。これらの危険物質を適切に管理、流出しないよう管理するのが「環境管理」の仕事です。

CSR
Corporate Social Responsibility、企業が社会的存在として果たすべき責任のこと

　現在では、企業の社会的責任（CSR）の重要性が高まり、株価にも大きく影響するようになっています。そのため環境に関する法規違反を起こさないことが企業には強く求められています。

　また法規違反を行った場合は、操業停止になる場合もあり、環境管理の役割は年々重要度を増しています。加えて、自動車業界ではカーボンニュートラルへの取り組みを積極的に行っており、再生可能エネルギーの活用や物流の改善など、CO_2排出削減を担当する専門部署が設置される企業も多くなっています。

▶ 自動車部品メーカーの仕事の流れ（安全衛生／環境管理）

先行開発研究	製品仕様決定	製品開発	量産立ち上げ	量産・販売
将来の製品・サービスに向けた技術研究・開発	市場動向・客先ニーズに基づいた製品構成、性能の決定	性能達成のための図面作成・試験/評価・製造ライン設計	量産に向けた設備・部品手配と品質確認などの生産設備	客先受注に応じた品質の良い製品の生産・販売

販売/事業計画

販売/事業計画

製品の中長期での販売戦略および事業方針の決定

安全衛生/環境管理の主な仕事内容

- ・安全意識の啓蒙
- ・危険個所や作業の洗い出し、災害未然防止対策の実施
- ・環境アセスメントと結果に基づく改善の実施
- ・社内/外部組織の監査対応

▶ 安全衛生／環境管理部門が関わる他部門や会社

間接部門

・安全意識啓蒙活動
・災害発生時の対策/再発防止策立案連携
・安全衛生内部監査
・安全衛生教育活動
・リスクアセスメントの実施

安全衛生

・CO_2排出削減を主とする環境負荷低減

事業計画

工場

・環境アセスメント
・環境事故の未然防止
・再エネ利用の推進

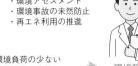
環境管理

・各種品質規格の審査/監査対応

外部監査機関/官公庁

・環境負荷の少ない設備導入の実施

生産技術

・CO_2排出削減のための物流効率化/荷姿最適化

物流

自動車部品メーカーで働くおもしろさ

自動車業界で目指す人は、まず完成車メーカーを想定しがちですが、サプライヤーである部品メーカーも働き甲斐があり、また働きやすい環境が整った魅力的な企業が多くなっています。

部品メーカーの仕事のおもしろさはまず自動車業界全体の動向がよくわかることです。現在は100年に1度の変革期といわれ、完成車メーカー各社が新たな戦略を次々と打ち出す激動の時代です。

完成車メーカーだと、基本的に自社の動向だけしか知ることができませんが、複数の完成車メーカーと付き合いのあるサプライヤーでは、自動車業界全体の動向を知ることができます。

また完成車メーカーの「違い」がわかることもサプライヤーのおもしろさの1つです。各社によって設計思想は異なり、コストや軽量化を重んじるメーカーがある一方で、乗り心地や耐久性を重視するメーカーもあります。完成車メーカーが理想とするそれぞれの「クルマ」に合わせた製品開発を部品メーカーは進めて

いく必要があります。

また技術者としては製品の「プロ」として自動車の開発に関われることも大変魅力的です。完成車メーカーは総じて車全体を設計する、いわば「指揮者」、部品メーカーは個々の部品を担当するスペシャリスト、「演奏者」の役割にあたります。

自分が専門とする部品の開発、改良を進めることで、自動車の機能向上へ大きく寄与することも可能であり、完成車メーカーよりも自動車の具体的な開発に関わっている実感が得られることもあります。

また自動車業界は組合の力が強く、他業界に比べて年休の取得がしやすいことも特徴です。所属する部署にもよりますが、大手では月1回以上の年休取得が義務付けられ、申請もしやすい環境が整えられています。近年ではフレックス制や在宅勤務も拡大しており、働きやすさはより高まっています。

働きやすく、自動車の技術に深く関われる自動車部品メーカー。あなたもぜひ自動車部品メーカーで働いてみませんか？

第 8 章

自動車部品業界の
これから

これまで自動車部品業界の現状を解説してきましたが、
世の中の流れに応じて、自動車部品業界もその変化に
対応していく必要があります。本章では、これからど
のような変化が起きていくのか、その概要を見ていき
ます。

Chapter8
01 電動化で変わる部品構成

ガソリン車から電動車への移行が進むことで、エンジンやトランスミッションなどの数百の部品が廃止または簡素化されます。ガソリン車と電動車の構成部品を比較すると、部品点数はガソリン車約3万点から電動車約2万点と減少し、部品にも変化が求められます。

自動車部品業界を取り巻く環境の変化

多くの自動車メーカーが2050年をカーボンニュートラル達成時期の目標として定めています。自動車部品メーカーもその動きに追随して、再生可能エネルギーを使用した製造などの取組みが進められています。

近年、市場が急拡大しているBEVの場合、スパークプラグやエキゾーストマニホールドや、トランスミッションなどの部品が担う機能は、モーターのみで代替可能なため、今後これら部品の生産規模は縮小すると見られます。そのため、自動車部品メーカーは異業種への参入や、事業の選択と集中を進めるなど、部品需要の変化に対応するための取り組みを始めています。

スパークプラグで世界トップシェアの日本特殊陶業は、主力の内燃機関事業からの依存脱却を目指し、非内燃機関事業の比率を2040年までに60%に引き上げる目標を掲げています。

電動化で変わる部品構成

車両の電動化によって搭載されない部品がある一方、バッテリーパック、モーター、インバーターなどの新たに導入される部品もあります。ステアリングやブレーキなど、基本動作を担う部品やボディなどは、電動車でも引き続き使用されますが、その他の部品の中には電動化への対応で変化が求められるものもあります。軸受（ベアリング）の場合、電食防止というガソリン車では不要な対策が求められ、各社は電動車のベアリングを開発しています。

また、エンジンの動力を活用するエアコン用コンプレッサーやウォーターポンプなどの部品も、電気で駆動するタイプに切り替える必要があるため、電動化に対応した新たな開発が必要です。

スパークプラグ
燃料となるガソリンを着火する役割を担う。点火プラグとも呼ばれる

エキゾーストマニホールド
エンジンで発生した燃焼ガスを排気するための部品。有害な物質を取り除く触媒やエキゾーストパイプなどで構成される

電食
電気により金属が腐食すること、電食を防ぐことで、部品の長寿命化、性能の維持が期待できます

▶ 電動化によって不要になる部品

エンジン関連	燃料噴射装置、エンジンバルブ、ラジエーター、触媒装置、エアクリーナー、オイルフィルター etc
電装関連	エンジン制御装置、イグニッションコイル、ECU、スパークプラグ、オルタネーター、スターターモーター etc
駆動関連	トランスミッション、リアアスクル、フロントアクスル、プロペラシャフト、クラッチ、クラッチカバー、ディファレンシャル etc

▶ 電動化によって採用された新規部品

電動化で新規採用されるた部品	バッテリー、モーター、インバーター、ブレーキアシスト用電動油圧ポンプ、エアコン用電動コンプレッサー、高圧系ハーネス etc

▶ オルタネーター（電動化で不要になる部品）

出所：デンソー

▶ インバーター（電動化で採用される部品）

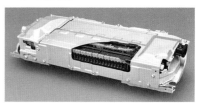

出所：デンソー

▶ 車両の電動化に追随するコンプレッサー。電動タイプ（左）とベルト式（右）

出所：豊田自動織機

Chapter8
02

低迷する日本市場とその特徴

国内の新車販売台数は1990年の約777.8万台をピークに減少傾向にあります。近年では、少子高齢化や消費者の趣向の変化から新車販売台数は大きな増加は見込めず、日本市場の規模は縮小すると見られています。

日本における新車販売市場の現状

　日本における新車販売台数は、2009～2011年の3年間はリーマンショックや東日本大震災によって500万台を下回りました。その後は増税などの影響はありましたが、2019年まで500万台以上を維持してきました。

　そして2020年は新型コロナウイルスの流行によって、登録車・軽自動車ともに前年を大きく下回り、約459.9万台と500万台を大きく割り込む結果となりました。その後も半導体不足などのサプライチェーンの停滞によって減産や生産遅延が続き、2021年は約444.8万台、2022年は約420.1万台と1977年オイルショック以来、45年ぶりの低水準となっています。

日本における新車販売市場の将来展望

　今後は短期的にはサプライチェーンの混乱解消によって、販売台数の増加が見込めますが、中長期的に減少していくと見られます。内閣府では、新車販売台数は2019年度の417万台から、2030年には359万台という見解が示しています。

　日本は最も高齢化進んでいる国の一つといわれ、65歳以上の高齢者が人口の約3割を占めています。また、単身世帯の増加や、公共交通機関が発達している都市部への若い世代の人口流出などから、自動車を必要としない層が増加しています。都市部では、コスト面からレンタカーやカーシェアリングの利用が増加しており、これらの要因が新車販売台数への影響を与えると考えられています。

　日本の自動車メーカーは、日本国内の市場だけでは今後大幅な成長は見込めないため、世界全体をマーケットとしてシェアを維持することが、企業存続のための条件となると考えられます。

2030年には359万台
人口要因に着目した自動車保有台数と新車販売台数の将来推計（2019年9月）内閣府

人口要因に着目した自動車保有台数と新車販売台数の将来推計

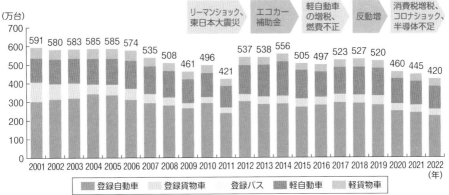

出所：日本自動車販売協会連合会、全国軽自動車協会連合会の公表情報を元に矢野経済研究所作成

東京一極集中要因から見た新車販売台数の推計

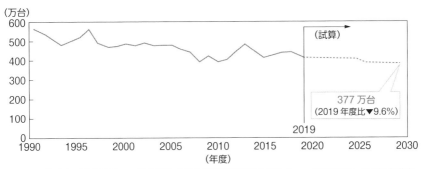

※2019年度までの数値は、一般社団法人日本自動車販売協会連合会、一般社団法人全国軽自動車協会連合会の公表値を使用

出所：内閣府の資料を元に作成

カーシェアリング

出所：タイムズカー

Chapter8 03

世界でこれから伸びる市場

市場規模縮小が続く日本ですが、現在、世界での新車販売台数ランキングでは4位となっています。一方、今後成長が見込まれる市場としてはインドやアフリカが注目されています。

販売台数で日本を超えたインド

　世界全体の新車販売台数ランキングは、1位が中国、2位が米国、日本は長年3位でしたが、2022年にインドが日本を抜かして3位となりました。

　インドでは自動車の需要が急増しており、インド政府も産業の支援や電動車の普及政策など、後押しする政策を進めています。その流れに乗ろうと、世界中の自動車メーカーがインドに進出し、シェアの獲得を目指しています。

　現在のインド市場では日本車の存在感が強く、中でも、スズキは1982年からインド市場に参入しています。現地企業と提携するマルチ・スズキは乗用車販売台数が147万台と、シェア1位（約40.6％）を獲得するなど根強い人気を得ています。

モータリゼーションが進む新興国

　一般的には1人あたりの名目GDPが3,000ドルを超えると、自動車のモータリゼーションが開始、15,000ドルを達すると飽和化するといわれています。IMFによると2025年にナイジェリア、2025年以降にインドが名目GDP3,000ドルを超えると見られています。

　アフリカ全体での新車販売台数は現在100万台前後ですが、将来性を期待してメーカー各社は製造・組み立て工場を設立しています。トヨタは、ケニア、南アフリカ、エジプトなど、日産自動車は、南アフリカ、モロッコなどに生産拠点を構えています。

　ASEANのタイやインドネシアはモータリゼーションがすでに始まっており、生産も盛んです。インドネシアでは自国で生産できるリチウムを活用したBEVの製造に意欲的で、2023年1月にはTeslaと100万台規模の生産工場の設立に合意しています。

モータリゼーション
自動車が広く普及し、生活必需品化する現象

▶ マルチスズキのインド仕様ワゴンR

出所：マルチスズキ

▶ 2025年の新興国における1人あたりのGDPと都市部人口の割合

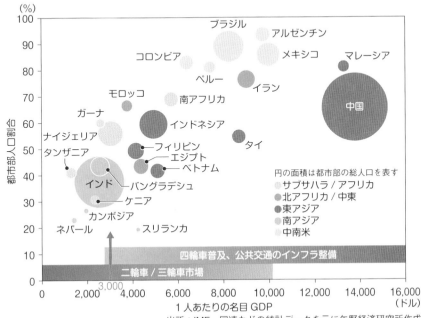

出所：IMF、国連などの統計データを元に矢野経済研究所作成

Chapter8
04

加速する「選択と集中」

近年、急速な環境の変化から自動車業界の再編が進んでいます。自動車メーカーではPSAとFCAが合併したStellantis、自動車部品メーカーでは日立Astemoなど、今後もこの流れは広がっていくと見られます。

「規模の拡大」と「選択と集中」

PSA
Peugeot、Citroen、DS Automobiles、OPEL、Vauxhallなどのブランドを擁していたフランスの多国籍企業

FCA
Fiat Chrysler Automobiles、2014年にFiatとChryslerが合併し誕生

2021年、PSA、FCAが合併し、Stellantisが発足しました。これによって業務効率化や量産効果に加え、CASEなど最新トレンドへの対応力強化を目指しています。

一方、Mercedesのようにトラック・バス部門（Daimler Truck）を分離して事業集約に動くケースもあります。相乗効果が見込めない分野を切り離し、BEVなどの注力分野に経営資源を集中させる方針を採っています。

統合による規模の拡大や、事業集約で生き残りを模索するメーカーなど、各社はCASEの時代に対応した自動車業界の変革に対応するための経営基盤を整備しています。

自動車部品業界でも同様の動きが

「選択と集中」の流れは自動車部品メーカーにも来ています。

ヨーロッパでは、Boschがガソリン車のスターターモーター事業を分離するなどの動きが見られます。国内では愛三工業がデンソーからフューエルポンプ事業を買収し、同事業の世界シェアを4割まで引き上げ、エンジン分野での残存者利益の確保を目指す「選択」を取る企業もあります。

2021年には日立オートモティブシステムズとホンダグループのサプライヤー3社（ケーヒン、ショーワ、日信工業）の合併により日立Astemoが誕生しました。

このような統廃合が進む背景には、技術の進歩、競争の激化、自動車の電動化や自動運転に対する需要の高まりなど複数の要因が考えられます。今後も競争力を維持していくために「選択と集中」の戦略は積極的に行われていくと思われます。

▶ Stellantis の統合

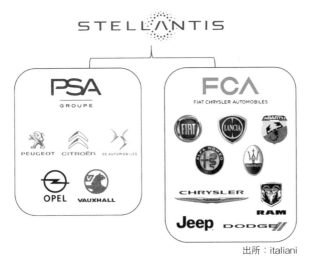

出所：italiani

▶ 直近における自動車部品関連会社の事業譲渡や統廃合のまとめ

年月	出来事
2023/7	デンソーが日本特殊陶業へスパークプラグや排気センサーを事業譲渡の検討を開始
2023/7	ホンダが連結子会社でガソリン車向け燃料タンクなどを手掛ける八千代工業をインドの自動車部品大手グループに売却を発表
2023/6	Magna International（加）がスウェーデンのVeoneerからアクティブセーフティ（ソフトウェア・センサなど）部門の買収完了を発表
2023/2	Faurecia（仏）がコクピットモジュールを手掛ける子会社SASをサンバルダナ・マザーソン（印）に売却することを発表
2023/2	マブチモーターが小型ポンプメーカーの応研精工の買収を発表
2022/12	ミネベアミツミが自動車のミラーなど内外装品を手掛けるホンダロックの買収を発表
2022/9	borgwarner（米）がBEVの重電事業を手掛ける湖北サーパスサンエレクトリック（中）の買収を発表
2022/9	Bosch（独）が自動運転のスタートアップのFive（英）の買収を発表
2022/4	デンソーから愛三工業にフューエルポンプ事業を譲渡
2021/9	帝人が国内外の事情部を統合しテイジン・オートモーティブ・テクノロジーズを立ち上げた
2021/8	Nidec（日本電産）が工作機械、切削工具の設計・開発・製造を手掛ける三菱重工工作機械の買収を発表
2021/1	日立オートモティブシステムズとホンダ系サプライヤ（ケーヒン、ショーワ、日信工業）が経営統合し、日立Astemoが誕生

Chapter8 05

ハードウェアからソフトウェアへ

従来の「走る」「曲がる」「止まる」といったハードウェアの高機能化と大量
生産による低価格化の競争から、ソフトウェアアップデートによる機能向上
やシステム改良による競争にシフトしつつあります。

OTAによる車両性能向上が付加価値に

近年は原材料価格の上昇に加え、センサーやカメラの実装、排
ガス規制への対応などによって自動車の原価が上昇しており、
「儲からない商品」になりつつあります。

スマートフォンのようにソフトウェアアップデートを実現する
ことによって、車両の性能だけが魅力とはならず、購入後のOTA
による機能追加やシステム改良を新たな付加価値として生み出す
という動きが出ています。今後は販売台数よりもソフトウェアの
継続的なアップグレードなどで、シェアリングなどのサービスで
利益を上げるビジネスモデルへと変容していくと見られます。

このような変化に対応するため、自動車メーカーには、「クル
マ」を製造するだけではなく、コネクテッドによるデータ連携や、
取得データを活用したモビリティサービスの提案といった価値転
換が求められています。

OTA
Over The Air、 無
線通信でデータを送
受信すること

SDVで先行する新興メーカー

自動車におけるソフトウェアの重要性は年々高まっており、近
年ではソフトウェアによって性能向上や機能追加を可能にする
SDVが注目されています。2018年に現代自動車とCisco社が発
表したハイパーコネクテッドカーに始まり、Teslaや中国の新興
メーカーなどが高く評価されている領域です。新興メーカーは開
発を自社で行うため、開発スピードが早くかつ柔軟な対応を武器
に販売台数を伸ばしています。

従来は自動車を作って売る「モノづくり」がメーカーにおける
価値の源泉でしたが、モノづくり自体の価値はコモディティ化し、
ソフトウェアによる差別化が競争の軸になると見られています。

SDV
Software Defined
Vehicle (ソフトウ
ェアデファインドビ
ークル)

▶ 車載ソフトウェアの更新方法

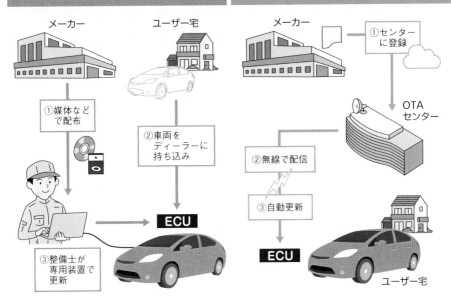

出所：日立製作所の図を元に作成

▶ 自動車メーカーのSDV戦略

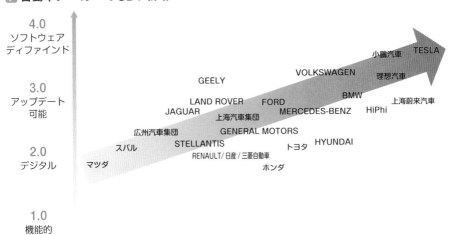

出所：データリソースの図を元に作成

Chapter8 06

サイバーセキュリティへの対応

コネクテッドカーはセキュリティリスクが存在し、万が一の場合は人的被害や公共の安全に対する影響が懸念されます。自動車業界ではサイバーセキュリティに関する法令／規制の整備が急速に進められています。

サイバーセキュリティの重要性とは

セキュリティ対策の必要性が注目されたきっかけは、2015年にアメリカでの自動車へのハッキング実験でした。市販車への遠隔操作実験が成功し、140万台ものリコールに発展しました。

悪意を持った第三者がハッキングできると、人命にかかわる交通事故につながる可能性があります。特にコネクテッドカーにおいては、従来の車両よりも車内システムへの侵入ルートが多いことから、さらなる危険性が指摘されています。

自動車業界ではセキュリティ要件の標準化や規制の強化が活発に行われています。2021年1月には、国連においてサイバーセキュリティ（CSMS）およびソフトウェア更新（SUMS）に関する法規が発行されました。これにより、車両の開発から利用するまでの間で、指定のガイドラインに沿ったサイバーセキュリティ対策を確保する仕組みの導入が必須となりました。

製造現場におけるサイバーセキュリティ

自動車の製造工程においてもサイバーセキュリティ対策の重要性が高まっています。2022年には国内プレスメーカーで不正アクセス事件が発生し、システムを遮断され、納品先の工場稼働にも影響を及ぼしました。

日本の自動車業界は垂直統合型のサプライチェーンによって、成長を遂げてきました。しかし、自動車部品メーカーの一部が事業停止に陥ることによって、サプライチェーン全体に影響が波及する問題点も露呈しました。自動車業界はデジタル化と自動化を推進しており、今後は、サイバーセキュリティの観点も取り入れ、事業活動を進めていく必要があります。

CSMS
Cyber Security Management System、サプライチェーンに関わるすべての事業者が連携し、設計／開発／生産／運用などのライフサイクルを通じて、車両のセキュリティリスクを軽減させるための要件

SUMS
Software Update Management System、車両に組み込まれているソフトウェアのバージョンを適切に管理し、ソフトウェアアップデートの影響範囲の特定や、セキュアな配信の仕組みを保持／運用させるための要件

▶ SUMS法規と自動車メーカーに求められること

主な法規要件

能力要件（概要）
- 法規に関連する活動のエビデンスの作成
- 法規に関連するドキュメントのセキュアな管理
- ソフトウェア更新対象車両の特定
- RxSWINを用いたソフトウェアバージョン管理
- ソフトウェア更新が車両の安全性に与える影響を評価
- ソフトウェア更新情報の車両ユーザーへの通知

車両型式要件（概要）
- ソフトウェア更新機能のセキュリティ性
- ソフトウェア更新失敗の車両安全性
- RxSWINやソフトウェアバージョンの読み出し
- RxSWINやソフトウェアバージョンの改ざん防止

自動車メーカーに求められること

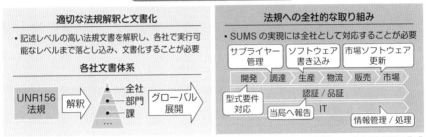

適切な法規解釈と文書化
- 記述レベルの高い法規文書を解釈し、各社で実行可能なレベルまで落とし込み、文書化することが必要

法規への全社的な取り組み
- SUMSの実現には全社として対応することが必要

出所：PwCの図を元に作成

▶ 自動車部品メーカーのセキュリティインシデント

時期	被害会社	概要
2022年4月	ポリプラスチックス子会社（マレーシア）	情報システムの一部がランサムウェアに感染したことを確認。直ちに対策を講じると同時に、外部の専門機関による調査を開始した
2022年3月	三桜工業子会社（アメリカ）	ランサムウェアとみられる不正アクセスを確認。生産活動への支障はなし
2022年3月	デンソー子会社（ドイツ）	第三者によるネットワークへの不正アクセスを確認。生産活動への支障はなし
2022年3月	Snap-on（アメリカ）	アメリカの自動車関連ツールメーカーで権限のない第三者によってデータが窃取されたことが判明し、ネットワーク接続をすぐに停止。調査の結果、ランサムウェアの感染により、従業員情報などが漏洩していたことが判明
2022年2月	ブリヂストン子会社（アメリカ）	社内ネットワークへの第三者による不正アクセスを確認。システムをネットワークから遮断して復旧。調査の結果、ランサムウェアによる攻撃が原因であることを特定。生産活動への支障はなし
2022年2月	小島プレス工業	外部からの不正アクセスをサーバーが検知、一部のサーバーでウィルス艦船による障害が発生した。即座にすべてのシステムを停止し、関係各社の工場稼働に影響を及ぼした

出所：各社プレスリリースなどを元に作成

Chapter8
07

崩れ始める「ケイレツ」

トヨタ系、日産系などの「ケイレツ」は、自動車メーカーと部品メーカーが緊密な関係を保ち、長年競争力を保ってきましたが、時代の波に飲まれ、その強固な関係も崩れつつあります。

ケイレツからの脱却

　ケイレツでは、自動車メーカーが部品の仕様を決定し、部品メーカーが開発／生産を進めています。部品メーカーにとっては、中長期での受注が確約され研究開発に専念できる、「すり合わせ」型の開発／検証を行うことで品質向上につながるなどのメリットがあり、今日までの日本自動車産業の強みとなっていました。

　一方、急激な事業環境の変化からケイレツの問題点も指摘されています。例えば、部品の発注先が固定されるため競争が起きにくく、トレンドから取り残されるなどです。電動車で使用される電動ブレーキは、当初は国内メーカーが先行していましたが、現在ではBoschやZFなどのヨーロッパ系メーカーが市場を席巻しています。

　日本の自動車メーカーは、仕入先の経営状況や雇用に対して責任を負っており、ケイレツ方式では今後のトレンドに追随できないのではという指摘もあります。

ケイレツからの脱却、将来展望

　近年、ケイレツは強化と解消の双方で動きがあります。強化の事例として、デンソーとアイシンによるeアクスル開発会社BluE Nexus設立などが挙げられます。またトヨタ系列内のグループ内でも再編を進め、総合部品メーカーを構築する動きが見られます。一方、解消の事例として、2017年の日産系サプライヤーであるカルソニックカンセイの売却などが挙げられます。

　自動車部品メーカーにとってケイレツの解消はリスクであると同時にチャンスでもあります。国内外での新規市場開拓や、ケイレツ外からの受注などによって、競争力を高めることが今後の生き残りに必要なスタンスといえます。

BluE Nexus
デンソー、アイシンによる設立後、2020年にトヨタも出資し資本参加。eアクスルを代表とする駆動モジュールからシステムまで電動化に応じた幅広い部品を開発している

▶ 国内部品メーカーと欧米系部品メーカーの違い

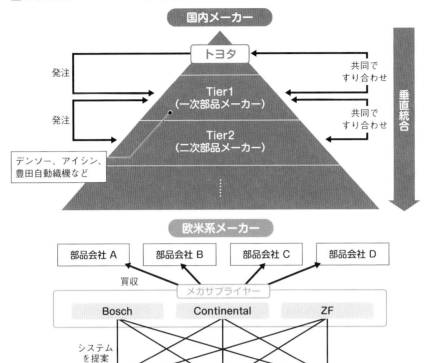

国内メーカー

トヨタ

発注

共同で
すり合わせ

Tier1
(一次部品メーカー)

発注

共同で
すり合わせ

Tier2
(二次部品メーカー)

デンソー、アイシン、
豊田自動織機など

垂直統合

欧米系メーカー

部品会社 A	部品会社 B	部品会社 C	部品会社 D

買収

メガサプライヤー

Bosch　　Continental　　ZF

システム
を提案

Volkswagen　　BMW　　Mercedes

水平分業

▶ BluE Nexus(ブルーイーネクサス)の事業内容

OEM　OEM　PHEV　FEV　FCEV

モジュール＆システムの開発・適合・販売

Tier1　電動モジュール　ハイブリッドシステム(THS)

BLUE
NEXUS

eAxle　FF2Motor　FF1Motor

ECU

お客様ごとの
ニーズに応じてご提案

TA w/Motor＋Inverter　Engine　Battery

Tier2　コンポーネントの供給

コンポーネントの供給
トヨタ　THSの技術支援

TA　Motor　Inverter
アイシン　デンソー

出所：BluE Nexusの資料を元に作成

Chapter8
08

自動車産業以外への進出

自動車部品メーカーは、市場の急速な変化から事業活動の多角化を進めています。自社の技術的なノウハウや能力を活用して、新たな市場への参入や新たな収益源の創出を図っています。

自動車部品以外の収益確保が必要な時代

自動車部品メーカーは、自社の技術との親和性が高いモビリティサービス、エネルギーマネジメント、ヘルスケアなどの分野に事業を拡大し、多角化を積極的に進めています。

この背景には、Huaweiなど異業種からの新規参入による競争の激化や、自動車の電動化によって、部品の削減や変化が生じることなど、事業環境の変化があります。

Huawei など異業種からの新規参入
中国の中堅自動車メーカーSeresと協業して、「AITO」ブランドを展開

特にエンジン関連部品などは電動車では不要になるため、部品メーカーは将来的に安定した収益を確保するために自動車産業への依存度を下げ、成長が期待できる新市場への参入を積極的に進めています。

さまざまな領域に進出する自動車部品メーカー

デンソーは2022年に、自社の定款に農業を新たに追加しています。農業分野では、自社のロボットを活用したトマトの自動収穫の実証実験を進めており、自動化技術を活用した農業を新規事業として強化しています。

ステアリングを製造するジェイテクトは、徳島大学発のベンチャー企業グリラスが持つコオロギの飼育技術と、同社が持つ自動化やIoT技術、品質管理技術などのモノづくり技術を融合し、高品質な食用コオロギの量産を目指して業務提携をしています。

内燃機関向け部品への依存度が高い日本ピストンリングは、ピストンリング向けに開発した素材で製造したインプラントや放射線部品などで医療分野へ進出、排気系部品を得意とする三五は部品加工技術を活用して、継ぎ手を減らしたステンレス製配管を製造し、建設資材事業に参入しています。

▶ 自動車部品関連技術と他業界との親和性

	ヘルスケア	電機電子部品	環境エネルギー	情報通信	航空宇宙産業
自動車部品関連技術との親和性	○ とくに医療機器分野は、技術的な親和性は低い	△ 電装系部品メーカーは技術の共通性があり参入した事例は多い	○ 風力発電は主要部品が自動車部品と重なるため、自動車関連産業との親和性は高い	△ 異業種の技術が生かされる分野ではあるが、事例は少ない	○ 自動車部品の製造技術は航空機部品の製造に転用しやすい
収益性	△〜○ 自動車産業に比べて、ヘルスケア産業は収益性が高い。一方で少量多品種であり、対応が必要	○ 電子部品メーカー主要32社の平均利益率は約10.6％	△ 収益性は高くない	× 通信機器レイヤー及びデバイス製造レイヤーの下位レイヤーにおいては、収益性は低い	△ コストを重視する海外市場などの販路を開拓できておらず、国内の官需に頼った収益構造
市場の安定性	○ 医療分野であるため、景気の波は受けづらい	× 新型コロナによる最終製品の生産調整を受けて、需要は縮小	△ 政府の補助金や規制の変化により、産業自体の持続性が大きく左右され、リスクがある	○ 生活基盤であるため、比較的景気による変動を受けにくい	× コロナの影響で航空機の受注が大幅に減少
今後の成長性	○ 高齢化が進む中、医療費増大とともに、医療機器やヘルスケア市場も拡大傾向	△ 2019年後半からスマホ市場の減速傾向が強まるなど、先行き不安感が増加	○ 今後のグローバルでの環境負荷の低減などは大きなトレンドとして存在	○ 他産業とITを融合したサービスの増加により、市場は拡大	△ コロナの影響で航空機の受注が大幅に減少。部品は輸入依存しており、今後は国内部品の活用を目指す動き

出所：三菱UFJリサーチ＆コンサルティングの資料を元に作成

▶ トマトの自動収穫ロボット

出所：デンソー

Chapter8

09

メーカーからモビリティ企業へ

自動車メーカーは、これまでクルマを作って売ることを生業としてきましたが、これからはクルマだけでなく、モビリティ（＝移動）に関わるあらゆるサービスを提供する企業への進化を目指しています。

売り切り型ビジネスからの脱却

　自動車メーカーにとって一番の悩みは、自動車販売市場の縮小です。そこで、自動車メーカーは収益確保に向けて、ビジネスモデルの転換を進めています。例えば、従来の売り切り型モデルからリースやサブスクリプションなど賃貸型モデルへの転換や、購入後の定期メンテナンスサービスの提供などがあります。これらのストックビジネスへの転換を通じて、顧客一人一人との取引を最大化し、収益の拡大に繋げる試みを始めています。

　さらに現在は、「移動」に関わるすべてのサービスに携わるモビリティ企業への転換を進めている企業が増えています。自社のネームブランドや専門性を活かして、サブスクリプション、カーシェアリングなどを展開しており、MaaSと呼ばれるさまざまな交通手段を単一のプラットフォームで提供するモビリティサービスの開発に注力しています。

ストックビジネス
継続的な収益を期待することができるビジネスモデルのこと

国内の MaaS 関連事業の現状

　トヨタ自動車は、2019年からカーシェアリングサービス「TOYOTA SHARE」や、自動車サブスクリプションサービス「KINTO」を開始しました。従来のレンタカーも含め、ユーザーに適した幅広い選択肢を提供することがその狙いです。

　また、自社サービスと公共交通サービスなどを連携可能にする「my route」も展開しています。

　他の自動車メーカーでも、サブスクリプションサービスとして日産自動車「NISSAN Click Mobi」、ホンダ「Honda Monthly Owner」など）やカーシェアリングサービス（日産自動車「NISSAN e-シェアモビ」）を提供しています。

▶ MaaSのイメージ

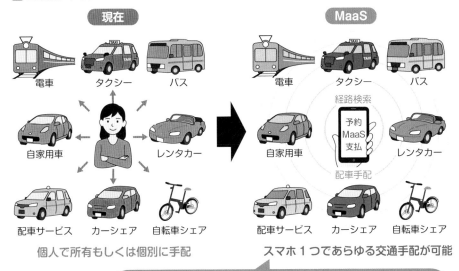

▶ 国内の自動車サブスクリプションサービスの比較

提供会社	トヨタ	日産自動車	ホンダ	VOLVO
サービス名	KINTO	クリックモビ	マンスリーオーナー	SMAVO
新車or中古車	新車	新車	中古車	新車・中古車
月額料金	1万1,220円〜[※1]	7,370円〜[※1]	2万9,800円〜	6万7,100円〜
自賠責保険	○	○	○	○
任意保険	○	×	○	×
自動車税	○	○	○	○
メンテナンス費	○	○	○	△[※2]
契約期間	3年／5年／7年	3年／5年／7年	1ヵ月〜11ヵ月	3年／5年
最短乗り換え	1年半	—	1ヵ月	2年
走行距離制限	1,500km/月	1,000km/月	1,000km/月	750km/月

※1　ボーナス払いあり
※2　車検費用は除く

Chapter8
10

自動化されていく輸送

輸送需要はECサイトの成長とともに急増しており、今後も拡大が続くと見られます。しかし、ドライバー不足などさまざまな問題を抱えており、物流業界の問題解決が急務の課題となっています。

輸送の現状と問題

グローバリゼーションの進行に伴い、資本や労働力の国境を超えた活動が活発化し、物流の重要度が高くなっています。2015年の貨物輸送量は107兆800億トンキロで、需要は2050年まで拡大すると予測されています。

しかし、輸送を担うドライバーが世界的に不足しており、日本ではドライバーの働き方を改善する取り組みのため、一時的に物流の滞りが予想され、「2024年問題」と呼ばれています。

問題解決の糸口として、1台の車両で多くの荷物を運ぶ高容量車、トラック輸送から鉄道やフェリーなどへ輸送を転換するモーダルシフト、自動運転技術を活用した無人隊列走行などが注目されています。これらの解決策は人手不足問題だけでなく、CO_2排出量削減などにも効果的とされ、注目を集めています。

トンキロ
輸送効率を表す指標。計算式は「貨物の重量×当該貨物の輸送距離」で、例えば5tの貨物を100km運んだ場合は500トンキロとなる

ドライバーの働き方を改善する取り組み
時間外労働時間を年間960時間に制限するもの

モーダルシフト
自動車を使った輸送から環境負荷の小さい鉄道や船舶の利用へと転換すること。人手不足問題解消・環境負荷軽減などが期待されている

物流の自動化の現状と将来展望

自動運転技術もドライバー不足解決策の1つとして注目されています。国内メーカーでは、UDトラックスが2030年までに完全自動運転トラックの量産を目指しています。大型トラック「クオン」をベースとしたレベル4車両を使用し、事業所内の運搬コースの一部をルートに設定し、自動運転の走行実験を行っています。

また、2021年に国内商用車メーカー3社と国土交通省が合同で無人隊列走行の実証実験を行いました。無人隊列走行はドライバー不足解決に向けて期待されており、2025年度の商用化を目指しています。商用車は、自動運転によって人件費などを削減できるため、普及への動機づけが強く、先行して導入が進むと見込まれています。

▶ 世界全体における旅客／貨物輸送需要の将来展望

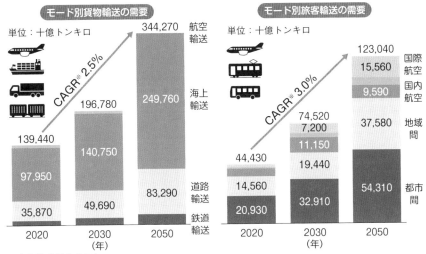

出所：ITF「Transport Outlook 2021」より矢野経済研究所作成

▶ 日本における無人隊列走行

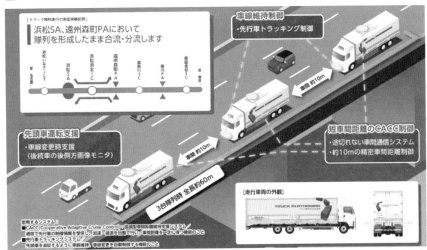

出所：国土交通省

自動運転で変わる車内環境

ステアリングやペダルの操作が不要になる「レベル5自動運転」では、シートやフロントガラスなど車内のデザイン自由度が格段に向上し、車内での過ごし方も大きく変化することが予想されています。

自動運転が魅力技術からコモディティへ

　現在、自動運転は製品の付加価値を高める技術として、自動車メーカー各社は、その利便性や安全性の高さを盛んに宣伝しています。自動運転が広く普及したときは、技術自体が差別化要素にはならないため、別の視点での高機能化が求められることになります。

　完全自動運転が実現された場合、ドライバーによる操作が不要になります。そのときは車内での過ごし方がそのクルマの魅力となるため、車内のエンターテインメントや快適性などが付加価値になるとされています。

車室内の過ごし方が次の競争軸に、先行する中国メーカー

ヘッドアップディスプレイ
人間の視野に周囲の光景が溶け込むように重ね合わせて情報を投影させる表示装置のこと

　完全自動運転時代の魅力技術として挙げられるのが、スマートコックピットと呼ばれる領域です。車載マルチメディア、ヘッドアップディスプレイ（HUD）などを搭載し、道路上の注意情報や地域の情報をフロントガラスに映し出し、目の前の風景に重ねることができるAR-HUDにも注目が集まります。

　車内での過ごし方という領域もTeslaや中国新興メーカーが先行しています。他社との差別化を図るため、製品リリース日直前に新機能を追加するメーカーもあります。

　日本では、ソニーとホンダによる電気自動車「Afeela」で、ソニーの持つプレイステーションなどの魅力あるコンテンツを活用し、トヨタ紡織は「喜びを楽しめる空間」として自動運転コンセプト空間「MOOX」を発表しています。車窓のARや五感刺激デバイス（音響、振動、香りなど）を活用し、移動中のゲーム・ライブ鑑賞などのエンタメ体験を楽しむことができます。

▶ 魅力技術からコモディティとなった技術

水冷エンジン	パワーステアリング
4サイクルエンジン	電動パワーステアリング
換気装置（三角窓廃止）	ABS（アンチロックブレーキシステム）
エアコン（冷房装置）	ESC（横滑り防止装置）
シンクロミッション	エアバッグ
AT（自動変速機）	ナビゲーション

出所：各種資料を元に矢野経済研究所作成

▶ 自動運転コンセプト空間MOOX

出所：トヨタ紡織

👍 ONE POINT

Teslaや中国の新興メーカーの
提供機能

Tesla車では、大型タッチスクリーンディスプレイを搭載し、音楽ストリーミング
やゲームなど楽しむことができます。中国の新興メーカーNIOは、音楽、ナビゲー
ション、音声コマンドなどの機能を備えた車載用エンタメシステム「Nomi」を開
発しています。

Chapter8

12

重要度を増す BCP

自動車は1つでも部品が欠ければ生産することができません。万が一の事態に備え、各企業ではBCPを作成して安定供給体制の構築に努めています。

生産が出来ない事態に事前に備える BCP

自動車は数万点の部品が使用され、部品が1つでも欠ければ生産することはできません。また部品の納入先も非常に多岐に渡るため、業界全体で継続的に安定供給を可能にする体制を構築することが重要です。そのために各自動車メーカーはBCPを策定し、製品の生産ができなくなる異常事態への備えを進めています。

BCPでは、まず広範にわたるサプライチェーン全体を把握し、そして各企業に異常事態が発生した場合の措置や、発生させない対応策、発生した場合に被害を最小限に食い止めるための対策などが必要とされます。

これまで異常事態では地震や津波、台風など自然災害や火災などが想定され、耐震や浸水、防火対策、訓練が実施されてきました。サプライヤーで大きな災害が発生し、生産が長期に渡り止まる事態となった場合は、早期復旧に向け完成車メーカーからの支援も実施されます。

BCP
Business Continuity Plan、事業継続計画のこと。企業が緊急時において事業を継続するための復旧、代替計画、およびそのような事態を想定した事前対策や体制の整備

コロナ禍、カントリーリスク増大に伴い変わる BCP

BCPで想定されていた緊急事態は自然災害や火災が主なものでした。しかし、2020年代に入ってからのコロナ禍やロシアウクライナ侵攻、米中関係の悪化などに伴い、その適応範囲を大きく拡大させる必要が出てきました。

これまでの自動車業界では、グローバルで事業展開を行うために、他国から多くの部品が輸出入で調達されてきました。しかし、前述した状況を受けて、現地生産化の促進や世界各地の複数拠点にて生産を行う、特定の国からの調達を減らす、在庫を積み増すなど、サプライチェーン全体の見直しが進められています。

▶ BCPの有無による復旧時間の違い

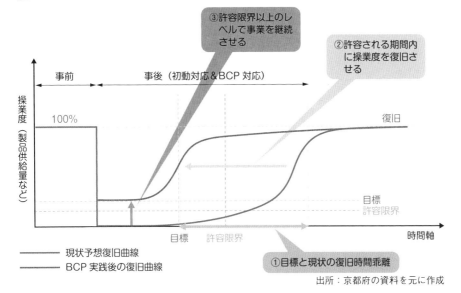

③許容限界以上のレベルで事業を継続させる

②許容される期間内に操業度を復旧させる

事前

事後(初動対応&BCP対応)

操業度(製品供給量など)

100%

復旧

目標 許容限界

目標 許容限界

時間軸

現状予想復旧曲線

BCP実践後の復旧曲線

①目標と現状の復旧時間乖離

出所:京都府の資料を元に作成

▶ BCPの適応範囲

BCP対策

従来

地震

台風

水害

追加

感染症

カントリーリスク

出所:セコムの資料を元に作成

索引

あ行

か行

著者略歴

モビイマ (カッパッパ)

自動車部品メーカー、Tier1 サプライヤーで働く、入社10年を超えた中堅社員。普段は作業服に身を包み、工場と事務所、仕入れ先やお客さんとの間で、汗をかきながら現地現物をモットーに働く。SNSを通じて変革期を迎える自動車業界の最新情報を発信し、主催するニュースレター「モビイマ」の購読者数は3000人を超える。

URL：https://mobi-ima.theletter.jp/

矢野経済研究所　モビリティ産業ユニット

創業64年の総合調査機関、モビリティ産業ユニットでは自動車テクノロジー、自動車アフターマーケット領域を担当、自主企画レポート発刊、顧客からのカスタマイズ調査に応え、調査力をもって日本の産業発展に貢献することを目標としている。

■ 装丁　　　　　井上新八
■ 本文デザイン　株式会社エディポック
■ 本文イラスト　糸永浩之
■ 編集　　　　　春原正彦
■ DTP　　　　　美研プリンティング株式会社

図解即戦力

**自動車部品業界のしくみとビジネスが
これ1冊でしっかりわかる教科書**

2023年 11月 8日　初版　第1刷発行
2024年 5月 7日　初版　第2刷発行

著　者　　モビイマ、矢野経済研究所
発行者　　片岡　巌
発行所　　株式会社技術評論社
　　　　　東京都新宿区市谷左内町21-13
　　　　　電話　　03-3513-6150　販売促進部
　　　　　　　　　03-3513-6160　書籍編集部
印刷／製本　株式会社加藤文明社

ⓒ2023　モビイマ、矢野経済研究所

ISBN978-4-297-13751-9 C0036　　　　Printed in Japan